HISTORIA GENERAL DEL ARTE MEXICANO

Historia General
del
ARTE MEXICANO

DANZAS Y BAILES POPULARES

Por **ELECTRA L. MOMPRADÉ**

y

TONATIÚH GUTIÉRREZ

DIBUJOS: ALBERTO BELTRÁN
FOTOGRAFÍAS: TONATIÚH GUTIÉRREZ

EDITORIAL HERMES, S. A.

ISBN: 84-399-5988-5

Depósito legal: B. 43.178 - 1976

Que este libro sea un modesto homenaje de reconocimiento y admiración a todos aquellos campesinos y artesanos mexicanos que, en sus pueblos, aldeas o comunidades indígenas, con su fervoroso esfuerzo, mantienen vivo el arte de la danza.

Desde la época precortesiana, y a través de las vicisitudes de su historia, el pueblo de México no ha dejado ni un momento de crear con sus manos, su música, sus danzas, sus fiestas, sus ritos religiosos, y en general todas sus tradiciones, ese mundo mágico y hermoso que es el arte popular.

La auténtica obra de este arte nos comunica directamente su mensaje. En ella encontramos símbolos procedentes de viejas culturas o sincretismos menos vetustos.

Sin embargo, este mundo de arte y belleza convivía en otra época con las clases económicamente privilegiadas sin apenas rozarlas. Preferían, para adornar sus casas o deleitar sus momentos de solaz, de los objetos, costumbres, música y tradiciones llegados del extranjero.

El estallido de la Revolución, que hizo desmoronarse al viejo régimen, remedo pueril de culturas ajenas, hizo aflorar a la superficie las viejas corrientes que fluían en el subsuelo.

Gracias al entusiasmo nacionalista de un brillante grupo de artistas e intelectuales: el Dr. Atl (Gerardo Murillo), Jorge Enciso, Roberto Montenegro, Adolfo Best, Diego Rivera, Miguel Covarrubias, Rubén M. Campos, Efrén Orozco, Graciela Amador, Ángel Salas, etc., que difundieron su importancia y significado, revalorizándolo como riqueza artística de su pueblo, se volvieron nuevamente los ojos hacia las raíces verdaderas de lo mexicano.

México se descubre a sí mismo en sus obras de arte popular, en su música y en sus danzas, y es en ellas donde se muestra, más que en miles de palabras que pudieran decirse, la realidad de lo que somos como nación y como individuos: un pueblo mestizo en cuyas expresiones artísticas, como en las de cualquier otro tipo, afloran cada uno de sus componentes: la elegancia hierática del pasado indígena, con sus exquisiteces asiáticas; el brioso ímpetu del pasado español, gran amalgama a su vez de tantas antiguas culturas; el ritmo sincopado y doloroso del África negra trasladada a nuestras costas.

La danza y el baile populares son los temas que en este panorama general se tratan. En nuestro momento histórico esta especialidad del arte popular ha recibido el apoyo e impulso vigoroso del Presidente de México, Luis Echeverría, y de su esposa, María Esther Zuno de Echeverría, frente al peligro inminente de su extinción. Y gracias a ellos la variedad infinita de danzas de este país quedará registrada (Fondo Nacional para el Desarrollo de la Danza Popular Mexicana, Fondo Nacional para el Fomento de las Artesanías, Dirección General de Arte Popular, SEP, Academia de Danza «Las Palomas de San Jerónimo»), grabada y en muchos casos filmada, como invaluable legado de los artistas anónimos a lo largo de los siglos, conservada en toda su originalidad y su fuerza, al que se puede acudir como fuente de inspiración con respetuoso fervor. Especialistas como Gabriel Fernández Ledesma, Gutierre y Carletto Tibón, Josefina Lavalle, Felipe Obregón, Nelly y Gloria Campobello, Alberto Beltrán, Cayuqui Estage, don José Guadalupe Zuno, Arturo Warman, Gabriel Moedano, arquitecto Arturo Macías y tantos más, con sus estudios profundos y documentados contribuyen a que el conocimiento y difusión de estas formas de expresión popular adquiera el rango que le corresponde dentro del acervo cultural de este país y del mundo.

El cambio de actitud, de mentalidad, es por fortuna completo, desde los tiempos en que se miraba despectivamente a cuanto reflejara algo de nuestra propia y auténtica personalidad, pretendiendo adornarla con un rostro artificial.

En una ocasión, el Presidente Luis Echeverría dijo las siguientes palabras: «Creo que muchas costumbres, bailes, artes diversas, que son expresiones netamente mexicanas, muy positivas y bellas, deben difundirse entre la población y sobre todo entre las nuevas generaciones. Volver a nuestras raíces, sin dejar de tener una visión y cultura universales, es lo que nos ha de permitir afirmarnos y encontrar ahí nuestra identidad de mexicanos. En la medida en que avancemos por el camino de la industrialización y el desarrollo comprenderemos que hay una serie de valores culturales y artísticos que debemos, no sólo preservar, sino fomentar, difundir y arraigar, sobre todo en nuestros hijos. Al mismo tiempo que la juventud ha de adelantarse en la cultura, a fin de que no se pierda, sino que encuentre el punto de apoyo para su acción y desarrollo; punto de partida y también la meta que constituyen la historia y la cultura de México».

Con este modesto ensayo pretendemos dar, aunque sea pequeña, una respuesta a tan ferviente reclamo, sin pretender agotar el tema, ya que éste requiere de enfoques muy diversos y acuciosos estudios. Nosotros sólo hemos pretendido presentar un panorama muy general, deseando que los especialistas profundicen y amplíen el estudio de este importante campo cultural de las artes de nuestro México.

La danza como manifestación artística inherente al ser humano

El hombre — según lo demuestra contundentemente desde su más remota historia — no puede vivir sin el arte. La comunicación le es imprescindible a su instinto gregario para no morir de soledad, y el arte es la comunicación en el nivel más hondo y duradero.

A su vez la danza — la «poesía muda» según Plutarco, la que consideraba Jean Cocteau «la iluminación y lo inexplicable de la mente»... que tiene «a través del movimiento y la dinámica de lo dancístico, el poder de recuperar los sentidos genuinos del humanismo y de las virtudes que se han perdido por la deshumanización y por el maquinismo que devora materialmente a los seres que habitan esta pequeñez que se llama tierra...» — es la más antigua de las artes, es la madre, la forma germinal del arte mismo.

La música vino como acompañante a la danza y el canto surgió como punto de acción y comentario. El traje y la máscara, que se usaron primero en las danzas rituales, constituyeron la raíz del teatro.

A partir de entonces la danza ha sido una de las manifestaciones de la vida humana que mejor refleja la expresión externa de una cultura y el sentimiento religioso y los perfiles éticos y sociales de un pueblo.

La danza — que no es más que el ritmo percibido visualmente — nació de la observación instintiva de que el ritmo es el elemento fundamental que domina el movimiento universal. Todo en el cosmos se encuentra en constante movimiento rítmico. El universo de galaxias, estrellas, planetas y satélites constituye desde el principio infinito de su existencia una gran creación rítmica moviéndose a través del espacio: planetas circunvolando sus soles; satélites circunvolando sus planetas; nuestro propio planeta girando al mismo tiempo alrededor de su eje, en un diseño de movimiento que se repite en cada átomo de la materia y produce la sucesión también rítmica del día y la noche, las mareas, las fases de la luna, las estaciones del año. En este cosmos en perpetua moción la vida misma sigue un ciclo rítmico de nacimiento, madurez, vejez y muerte, y se mantiene gracias al rítmico latido del corazón y otros reflejos automáticos del organismo.

Mucho antes de la aparición del hombre sobre la tierra las cambiantes especies de criaturas que la poblaban no solamente nadaban, volaban y corrían rítmicamente, sino que también danzaban deliberadamente impulsadas por el ritmo de la vida que palpitaba a través de sus cuerpos y del universo. Las primeras danzas del hombre primitivo probablemente comenzaron así.

Desde tiempos remotos el hombre, a través de la observación de su propio ser y del universo que lo rodeaba, asimiló estos dos ritmos, el humano y el cósmico, en una correspondencia entre microcosmos y macrocosmos. La danza lo proveyó de la llave para comunicarse con la fuente de la vida, la vía natural por la cual se unió a los poderes de un cosmos en el que el ritmo es el elemento fundamental.

Dos mil años antes de Cristo los sacerdotes de Osiris, que se dedicaban al estudio de la astronomía, interpretaban las grandes danzas astronómicas en las que el altar colocado en el centro del templo simbolizaba el sol y los oficiantes giraban en torno de él en el sentido de la evolución de los cuerpos celestes, con una rotación calculada que evocaba el espacio, como si se hallaran flotando en el éter junto a los planetas y éstos les descubrieran su misteriosa vida.

Los antiguos hindúes nos hablan en su mitología de la creación del mundo a través de la danza del Dios Shiva Nataraja, Señor de la Danza, el cual mandó ondas pulsadoras de sonido a través de la materia para despertarla a la vida de su letargo silencioso, y la materia danzó apareciendo alrededor de él como una aureola de ardientes emanaciones. Danzando, el dios creó y sostuvo el fenómeno múltiple del Universo.

El sonido rítmico es concebido en los mitos cosmogónicos como la raíz de toda creación y los dioses son — o el Dios es — el poder a través del cual la fuerza vital se manifiesta. Tras el sonido y el ritmo está el invisible centro divino, alrededor del cual danza toda la creación.

El poeta romano Luciano — de la segunda centuria de nuestra era —, en su obra «Sobre la Danza», veía a la danza también como el principio de la creación: «Con la creación del Universo, la danza también comenzó a existir, lo que significó la unión de los elementos. La danza circular de las estrellas, las constelaciones, la de los planetas en relación con las estrellas fijas, el bello orden y armonía en todos sus movimientos, es el espejo de la danza original en el tiempo de la Creación. La danza es el más rico regalo de las musas al hombre. Porque por su divino origen tiene lugar en los misterios y es amada por los dioses y ejecutada por los hombres en su honor».

Con este mismo concepto, los antiguos mexicanos tenían a ollín, decimoséptimo día del calendario nahua, como el símbolo del movimiento creador de la vida.

Antes de que el hombre aprendiera a expresar sus sentimientos o su experiencia de la vida a través de otros materiales, lo hizo con su propio cuerpo por medio de la danza. Con ella expresaba su alegría o su temor, regocijo o tristeza.

Danzó en un principio para enfrentarse a un mundo cuyas misteriosas fuerzas no podía entender; un mundo que lo atemorizaba y maravillaba; para establecer un enlace con la fuente de este poder que estaba por encima de él y aprehender las leyes que gobernaban sus manifestaciones, apaciguar las poderosas fuerzas de la Naturaleza, los espíritus poderosos cuyas terribles voces se oían en la tormenta.

La danza se convirtió en un significativo factor religioso, político y cultural. Los hombres primitivos desarrollaron danzas rituales para cada evento en su vida. Por medio de danzas imitativas trataban de provocar el resultado deseado. Antes de partir a la caza los danzantes se disfrazaban de animales —osos, bisontes— imitando los movimientos y mimetizando la muerte de la presa. Después de la caza trataban, por medio de la danza que revivía al espíritu del animal, de apaciguar sus iras para asegurar el éxito en cacerías venideras.

Los gestos imitativos fueron dando lugar a simbolismos en los que los pasos de la danza no eran importantes sólo por ser bellos, sino porque significaban algo. Para que el encantamiento resultara tenían que repetirse en la misma forma. La imitación nunca fue una copia literal de lo que veían, sino una estilización en cada movimiento, y por ser una estilización era posible repetirla una y otra vez para darle el mismo significado, la misma validez; era posible elevarla a un símbolo.

Además de las imitativas hay un segundo tipo universal de danzas primitivas, las abstractas, que se verificaban en forma de círculos alrededor de un objeto o persona al que se atribuían poderes mágicos. Mientras los danzantes se movían en círculos, el poder del objeto mágico fluía hacia ellos.

Perdido su origen ritual, las danzas circulares sobrevivieron largo tiempo. En el siglo XVIII invaden los salones europeos y todavía hoy las encontramos en las danzas folklóricas de la Europa oriental o en las rondas infantiles.

Cada una de las grandes civilizaciones ha producido sus propias danzas. Las más complejas son las asiáticas, en parte porque continuaron interrelacionadas con la religión y por consiguiente son de carácter contemplativo. La danza hindú se practica sin cambios por más de 2.000 años, es la más antigua del mundo civilizado y tiene raíces profundas en la vida y el pensamiento de este pueblo. Los pasos y

II. Grabado del siglo XVIII de B. Picart, 1721-1728. Alegoría artística que interpreta la alegría de los mexicanos al comienzo de su siglo.
Interpretación en aguatinta del artista italiano Vallina de músicos mexicanos, en donde el teponaxtle es la pieza más frecuente.

Raíces formativas de la danza y bailes de México

México posee una gran tradición dancística que tiene como principales raíces formativas las de los grupos étnicos de los que ha surgido. En primer lugar, la supervivencia de motivos prehispánicos; en segundo, la influencia española ejercida a partir de la Conquista, penetrada a su vez por elementos árabes, africano y europeos; en tercero, los elementos culturales de los pueblos africanos cuyos representantes llegaron durante la colonización española, principalmente a las zonas costeras del sur del país; por último, en forma secundaria, las influencias de países antillanos y sudamericanos, del sur de los Estados Unidos de Norteamérica y algunos países europeos que de alguna manera tuvieron una intervención, directa o indirecta, en la historia de México.

I. LA DANZA EN EL MÉXICO PREHISPÁNICO

Sabemos que en el México antiguo, distribuidas en el año a lo largo de su calendario ceremonial o Tonalamatl — dividido en 20 meses —, se celebraban numerosas festividades religiosas, militares o poéticas que iban siempre acompañadas de cantos y danzas.

Las fuentes de las que nos servimos para lograr una perspectiva del desarrollo de la danza precortesiana son varias: los códices, pinturas y esculturas en piedra o cerámica que estudia la arqueología; los instrumentos llegados de esa época o sus reproduc-

ciones; las crónicas y relaciones de los hombres que participaron en la Conquista; las danzas actuales en las comunidades indígenas, que se realizan en honor de sus antiguas deidades, disfrazadas con nombres cristianos, en sus ceremonias religiosas, cívicas y rituales.

En todos los manuscritos precortesianos de los diversos pueblos autóctonos, y los que fueron hechos por los indígenas después de la Conquista, se pone de manifiesto que desde los más remotos tiempos los indígenas practicaron la música y el baile, dándoles a estas expresiones gran importancia principalmente como acto ritual para adorar a sus dioses.

Las estatuillas de jade, piedra y barro encontradas nos permiten afirmar igualmente que la danza alcanzó gran desarrollo en Mesoamérica desde las culturas más antiguas que se conocen hasta ahora — las preclásicas (1500 a. C.) y su contemporánea la llamada olmeca.

Sin embargo, las fuentes indígenas no nos ayudan a reconstruir fielmente las antiguas danzas porque ningún códice lleva secuencias de dibujos por los que se pudieran deducir los movimientos, con excepción de algún ocasional diagrama como el que aparece en el Atlas de Durán, en el que se describen las evoluciones de hombres y mujeres alternados formando un círculo tomados de las manos, alrededor de dos músicos que tañen el teponaztli y el huehuetl. Los hombres llevan tocados de plumas y las mujeres huipiles con el rectángulo cósmico.

3. Litografía. Casimiro Castro. México y sus alrededores. «Un fandango». 1864.

III. Grabado francés de Babrett alusivo a un fandango mexicano. Principios del siglo xix. Baile mestizo con fuerte influencia española.
Grabado que representa un baile mestizo popular en el Valle de México, ejecutado por M. Rugendas en su libro *Mexico and the Mexicans,* 1859.

Por tanto, nos tenemos que apoyar mayormente en las referencias de los primeros misioneros y cronistas, únicos historiadores de aquella época en este país, y en las danzas de los indígenas contemporáneos.

El respeto y la admiración con que los cronistas — Sahagún, Torquemada, Motolinía, Mendieta, Landa, Durán, Clavijero —, asombrados testigos de los grandes «areitos» o «mitotes» en los que llegaban a participar hasta cinco mil danzantes y aun el mismo emperador, nos hablan de estas danzas espectaculares, corrobora y es prueba evidente de la perfección alcanzada por los antiguos mexicanos en la música y en el baile.

Sólo una ligera sombra del esplendor original ha llegado hasta nosotros. Tanto en calidad como en magnitud, las danzas nativas de nuestros días no son más que un pobre vestigio de sus antepasadas.

En aquellas ceremonias espectaculares, de las que puede darnos una idea la magnitud de los escenarios en los que se desarrollaban, de grandes espacios abiertos, en los que toda la población podía tener cabida y que sobrepasaban con mucho la capacidad de nuestros modernos auditorios, participaban centenares y hasta millares de bailarines, con una indumentaria y función especial para cada una de estas danzas.

En todas las descripciones de los grandes festivales aztecas los cronistas insisten sobre la variedad, frecuencia y fastuosidad de los bailes, así como sobre la complejidad de los ritmos y la precisión matemática con que se movían los grandes conjuntos.

Característica esencial en el arte prehispánico es el acentuamiento del ritmo, el motivo repetido, como en los frisos y las grecas, carácter que se revela de manera esencial en la música y la danza.

La música existió casi siempre como acompañamiento a la danza, para acentuar el ritmo; por esa razón predominó el instrumento de percusión y cuando hubo melodía se trataba de dos o tres temas que se repetían. El ritmo y la repetición del motivo constituían — como hoy entre las danzas indígenas — un conjunto de gran belleza dentro de la concepción artística característica del antiguo mexicano.

A las danzas se les atribuía gran importancia como parte del culto, pues eran en cierto sentido plegarias y actos mágicos. Como escribe Jacques Soustelle:

«Para los antiguos mexicanos nada tan vitalmente importante como esos movimientos, esos cantos, esas danzas... se trataba de asegurar la marcha regular de las estaciones, el regreso de las lluvias, la germinación de las plantas alimenticias, la resurrección del sol... en un esfuerzo perpetuo colectivo sin el cual la naturaleza misma hubiese perecido... el más serio de los asuntos, la más imperiosa de las obligaciones...».

Paradójicamente se encontraban juntas en el Tonalamatl las celebraciones más duras y feroces con las fiestas más poéticas en honor de las flores, a los dioses Xochipilli — o Macuilxochitl 5-flores — y Xochiquetzal, deidades masculina y femenina del canto, la danza y el arte en general.

Los instrumentos usados por los antiguos mexicanos, de los que en su mayoría se encuentran ejemplos en el Museo Nacional de Antropología e Historia de México, eran de dos clases: de viento y de percusión.

Seguramente, como suele suceder entre los pueblos guerreros, los instrumentos de percusión fueron los primeros en la evolución de su música.

El huehuetl (equivalente al tambor) de origen legendario, era un cilindro hueco, parado verticalmente, cuyo extremo superior estaba cubierto por una piel estirada y preparada para producir un sonido ríspido y sonoro como el de un tambor, que se tocaba con las palmas de la mano.

Los aztecas distinguían claramente el sonido del huehuetl que los llamaba a la danza, del tlapanhuéhuetl y el teohuéhuetl, de mayor tamaño que se escuchaban a 8 ó 12 km. de distancia, y desde lo alto del teocalli mayor eran voz de alarma y grito de guerra y exterminio de la ciudad imperial, que sembraban el pavor entre sus pueblos vecinos.

La llamada a la fiesta popular la daba la voz sonora de los huehuetls, a la que se unía la seca y vibrante de los teponaztlis (fusión del tímpano y el xilófono), cilindros huecos tallados en madera, con decoraciones que representaban figuras humanas o animales, que se colocaban horizontalmente para golpearlos con los bolillos forrados de ulli, sobre dos lengüetas abiertas en la parte superior del instrumento, con ranuras angostas.

Al sonido de huehuetls y teponaztlis seguía la música de los ayacaxtlis, sonajas de bules vacíos rellenos de piedrecillas que al agitarse producían un ruido sonoro y alegre con el que marcaban el ritmo de la danza; la de los caracoles marinos o atecocolli, productos naturales del mar de gran tamaño, horadados en el vértice agudo de la espiral, que producían un sonido explosivo parecido al de la cornamusa; los chicahuaztli y los omichicahuaztli, especie de güiros hechos de hueso con incisiones transversales a lo largo por las que se pasaba un pequeño caracol para producir un sonido rasposo y alegre que llevaba también el ritmo del acompañamiento de la música. Una vez llegados al lugar de la fiesta se dejaban oír los tlapitzalli (equivalentes a la flauta u ocarina), flautas de barro cocido con cuatro agujeritos laterales que se tapaban y destapaban con los dedos y dos más en la parte inferior que llegaban a producir hasta 8 ó 10 notas; las dobles, triples y hasta cuádruples flautas con una sola embocadura; las trompetas o tepuzquiquiztli, que llegaban a tener dimensiones descomunales; los caparachos de tortuga (ayotl) golpeados con astas de venado; los cascabeles de barro y de oro de alegre tintineo; piedras bellamente talladas que se golpeaban unas con otras; jarros silvadores, y los tlatzozonalli, instrumentos unicordes derivados del arco de cacería.

Desgraciadamente, de la música producida por tan variados instrumentos no existen registros ni alguna forma de anotación que nos permita conocerla, aunque es seguro que cientos de melodías que perduran en las ceremonias y danzas indígenas actuales tienen su origen en los antiguos cantos, himnos y bailes.

Por lo que respecta al vestuario que utilizaban para sus danzas y ceremonias, sabemos, por el testimonio de los cronistas, que era muy diverso y espectacular.

Fray Diego Durán escribe al respecto: «Sacaban diferentes trajes y atavíos de mantos y plumas, y cabelleras y máscaras, rigiéndose por los cantos que componían y por lo que en ellos trataban, conformándolos con la solemnidad y fiestas vistiéndose unas veces como águilas, otras como tigres y leones, otras como soldados, otras como huaxtecos, otras como cazadores, otras como salvajes y como monos, perros, y otros mil disfraces...».

«Bailaban — dice el historiador Clavijero — unas veces en círculo y otras en fila, en ciertas ocasiones hombres solos y en otras hombres y mujeres. Los nobles se vestían para el baile con sus trajes de gala: poníanse brazaletes, pendientes y otros adornos de oro, joyas y plumas; usaban en una mano un escudo, cubierto también de bellas plumas, y en otra el ayacachtli (sonaja), que era... una calabacilla redonda y ovalada con muchos agujeros y llena de piedrecillas que sacudían y con cuyo sonido, que no era desagradable, acompañaban el de los instrumentos. Los plebeyos se disfrazaban a guisa de animales con vestidos de papel, de plumas o de pieles.»

Por su parte, Muñoz Camargo anota que todavía después de la Conquista los señores tlaxcaltecas «en estos bailes y cantares sacan las divisas, insignias y libreas que quieren, con mucha plumería, y ropa muy rica de muy extraños atavíos y composturas, joyas de oro y piedras preciosas, puestas en los cuellos y muñecas de los brazos, y brazaletes de oro fino en los brazos, los cuales vi y conocí a muchos caciques que los usaron: con ellos se ataviaban y componían, ansí en los brazos como en las pantorrillas, y cascabeles de oro en las gargantillas de las piernas. Asimismo salían las mujeres en estas danzas, maravillosamente ataviadas que no había en el mundo más que ver, lo cual todo se ha vedado por la honestidad de nuestra religión».

Para mantener el acervo de cantos y danzas requerido por el nutrido calendario ritual de fiestas fue precisa una organización en la cual, además de la enseñanza del canto, baile y ejecución de instrumentos, entraba la composición literario-musical y la fabricación instrumental.

Sobre las escuelas especializadas que existían en las principales ciudades como Texcoco, Tlalpan y Tenochtitlan, en las que se impartiría la enseñanza de cantos y danzas a los jóvenes, nos habla el padre Durán en su *Historia de las Indias:*

«En todas las ciudades había junto a los templos unas casas grandes donde residían maestros que enseñaban a bailar y a cantar y a las cuales casas llamaban cuicacalli, que quiere decir "casa del canto", donde no había otro ejercicio sino enseñar a cantar y a bailar y a tañer a mozos y mozas. Salían los maestros de las escuelas de danza y canto y ponían sus instrumentos para tañer en medio de aquel patio y salían mozos y tomaban a todas aquellas mozas de las manos, llevando ellos a las de sus barrios y conocidas. Comenzaba su baile y canto desde el que no acertara a hacer los contrapasos a son y compás, lo enseñaban con mucho cuidado, los cuales bailaban hasta buen rato de la noche.

»Después de haber cantado y bailado con mucho contento y regocijo, se apartan ellos a sus lugares y ellas a los suyos y tornando los amos, los llevan a sus casas, sin lesión ni mal alguno... Preciábanse mucho los mozos de saber cantar y bailar y de ser guías de los demás; en los bailes preciábanse de llevar los pies a son y de acudir a su tiempo con el cuerpo en los meneos que ellos usan, y con la voz a su tiempo, porque el baile de éstos no solamente se rige por el son, empero también por los altos y bajos que el canto hace, cantando y bailando juntamente, para los cuales cantares habían entre ellos poetas que los componían, dando a cada canto y baile diferente sonada».

Los conocimientos que se adquirían en estas escuelas no eran un simple lujo, sino un motivo de distinción, tanto por servir a los dioses, cuanto por los privilegios que dispensaban. Sabemos que los músicos y bailarines profesionales estaban exentos del pago de impuestos.

En los cuicacalli vivían los maestros que se dedicaban a la instrucción de los jóvenes de doce años en adelante, los que eran severamente castigados si faltaban a sus clases. La enseñanza era demasiado rigurosa porque en la práctica tenían que ejecutar su canto y danzas con tal precisión y perfección que una falta por descuido o por no tener el grado de conocimiento necesario, era castigada en la forma que nos relata Sahagún:

«...andando en el baile, si alguno de los cantores hacía falta en el canto, o si los que tañían el teponaztli y tambor faltaban en el tañer, o si los que guiaban erraban en los meneos y continencias del baile, luego el Señor los mandaba prender y otro día los mandaba matar». (Historia de las Cosas de la Nueva España, t. II, lib. VIII, cap. 17.)

Tal rigor se comprende por el carácter ritual de la música; las actuaciones imperfectas ofendían a los dioses, pues interrumpían la oración que los ponía en armonía con el resto del universo.

Sin duda aquella enérgica disciplina les hacía poner en la limpieza de la ejecución toda su energía y facultades, y como resultado la danza alcanzó el grado de perfección que asombró a los conquistadores y misioneros.

En la organización de los grupos de actores, músicos y danzantes intervenía un director al que los mayas llaman holpop, los purépechas curínguri, los zapotecas copéechitocechi y tlapixcaltzin los nahuas. Marcaba el ritmo y cuidaba de la perfecta ejecución de los cantos y bailes, señalando los instrumentos que debían intervenir en cada ocasión, daba instrucciones a los cantantes y señalaba los pasos y posiciones en el momento que tenían que ejecutarlas los bailarines.

La enseñanza de la música, el canto y la danza siempre fueron en forma oral e imitativa, y nunca individual, sino colectiva.

En el mixcoacalli, una sala del palacio, se reunían los músicos y bailarines profesionales de México y Tlatelolco, con sus trajes e instrumentos para esperar las indicaciones del Señor. No sólo actuaban en las ceremonias religiosas y componían nuevos cantos y bailes siempre en renovación, sino también presentaban obras originales para celebrar fiestas eventuales como matrimonios de personas destacadas, bautizos, nacimientos, etc., y componían para los señores cantares en los que se realzaban las grandezas de sus antepasados o propias, especialmente para Moctezuma y Netzahualpilli, monarcas de Tenochtitlan y Texcoco.

No podemos señalar un estilo único para toda la danza mesoamericana. Claramente se pueden encontrar cinco estilos diferentes: el preclásico y olmeca, el teotihuacano, el maya, el totonaco y el nahua-azteca.

Los danzantes preclásicos, olmecas y totonacas rebosan humanismo y una exaltada alegría de vivir. Casi todas las figuras de danzantes totonacas o preclásicos respiran un aliento de pasión humana y naturalidad, sensualidad y alegría que contrasta con las representaciones de los bailarines nahuas, formales y hieráticas.

Las solemnes danzas sacerdotales o rituales de los mayas y teotihuacanos contrastan a su vez con el fuerte carácter estilizado y telúrico de las de zapotecas y nahuas, que prescinden por completo de lo humano y terrenal.

El pensamiento filosófico azteca, de hieratismo, formalismo, rigidez y fanatismo, se trasluce en su música y danza, a tal grado estilizados y sujetos a normas que después de conocer las escalas superiores y los instrumentos perfeccionados de los pueblos del Sur y del Golfo, continuaron usando su música ceremonial en la escala tradicional de cinco sonidos fundamentales. Aun en épocas anteriores encontramos en otros pueblos instrumentos con cinco o más agujeros que producen escalas mucho más desarrolladas.

En cambio, la danza y la música mayas parecen aunar todas las cualidades de los pueblos mesoamericanos en una escuela depurada, expresiva y disciplinada de danza de categoría universal. Su técnica era tan completa que incluía el baile sobre las puntas, según lo demuestra el vocablo «Ba del cuxtel» (andar o bailar de puntas) que aparece en el Diccionario de Motul.

El investigador Samuel Martí compara las posturas encontradas en estatuillas y pinturas mayas de perfecta elegancia y maestría, con las tres tradicionales de los Bangas de las danzas hindúes.

Sin duda la danza entre los primitivos mexicanos fue usada primero en las ceremonias de ritos mágicos y propiciatorios, hasta el período protoagrícola, a partir del cual, en el horizonte clásico, junto a las grandes ceremonias religiosas existe ya una música profana destinada a las fiestas particulares, a la diversión.

Según el investigador Pablo Castellanos, probablemente existió una música sencilla, al alcance del pueblo (música popular) y una más elaborada, que sólo practicaban los de mayores conocimientos musicales (música culta). «La música de la corte debe de haberse diferenciado de la de los macehuales (plebeyos), como el idioma de los pillis (nobles) se distinguía del rudo nahuatl.» (Pablo Castellanos.)

Hubo naturalmente danzas del pueblo, además de las danzas rituales, como entretenimiento y forma de expresión popular, aunque predominaba el carácter religioso en la música y la danza igual que en todos los aspectos de la vida de estos pueblos, desde el nacimiento a la muerte: la llegada de la pubertad, las bodas, peticiones para la salud propia y de los familiares, las esperanzas del agricultor para una buena cosecha, su angustia cuando se atrasaban las lluvias; todo debía lograrse por medio de la invocación a los dioses respectivos.

Podemos decir que los antiguos mexicanos desarrollaron todos los tipos de danza, desde las más primitivas danzas mágicas, empleadas en ritos, curaciones, adivinaciones y maleficios, con carácter esotérico y repetitivo; las imitativas que se efectuaban para lograr éxito en las cacerías; las danzas guerreras, que se llevaban a cabo entre el estruendo de tambores y caracoles, con efectos rítmicos y marciales; las danzas populares que se escenificaban en calles y plazas públicas, los Netoteliztli, bailes de re-gocijo, auténticos festivales del pueblo que servían de distracción a nobles y plebeyos, de los que Torquemada relata: «...comenzaban un baile que llaman netoteliztli, danza de regocijo y placer. Mucho antes de comenzarlo, tendían una gran estera y encima della ponían 2 atabales, uno chico que llaman teponaztli, y que es todo de una pieza, de palo muy bien labrado por defuera, hueco y sin cuero ni pergamino; mas táñese con palillos como los nuestros. El otro es muy grande, alto, redondo y grueso como un tambor de los de acá, hueco, entallado por fuera, y pintado. Sobre la boca ponen un parche de venado curtido y bien estirado, y que apretado sube, y flojo abaja el tono. Táñese con las manos sin palos y es contrabajo. Estos dos atabales concertados con voces, aunque allá no las hay muy buenas, suenan mucho y no mal: cantan cantares alegres, regocijados y graciosos, o algún romance en loor de los reyes pasados, recontando en ellos guerras, victorias, hazañas y cosas tales; y esto va todo en copla por sus consonantes, que suenan bien y aplacen. Cuando ya es tiempo de comenzar silban 8 o 10 hombres, muy recio y luego tocan los atabales muy bajo, y no tardan a venir los bailadores, con ricas mantas blancas, coloradas, verdes, amarillas y tejidas de diversísimos colores; y traen en las manos ramilletes de rosas o ventalles de pluma, o pluma y oro; y muchos vienen con sus guirnaldas de flores, que huelen por excelencia, y muchos son papahígos de plumas y carátulas, hechas como cabezas de águila, tigre, caimán y animales fieros. Júntanse a este baile mil bailadores muchas veces, y cuando menos 400, y son todos personas principales, nobles y aun señores; y cuanto mayor y mejor es cada uno, tanto más junto anda a los atabales. Bailan en corro, trabados de las manos; una orden tras otra; guían dos que son sueltos y diestros danzantes; todos hacen y dicen lo que aquellos dos guiadores; que si cantan ellos, responde todo el corro unas veces muchos, otras veces pocos, según el cantar o romance requiere; que así es acá y donde quiera. El compás que los dos llevan siguen todos, sino los de las postreras rengles que por estar lejos y ser muchos, hacen dos entre tanto que ellos uno, y cúmpleles meter más obra; pero a un mismo punto alzan o abajan los brazos o el cuerpo, o la cabeza sola, y todo con no poca gracia, y con tanto concierto y sentido que no discrepa uno de otro; tanto que se embebescen allí los hombres.

4. Danza de la Pluma. Niño artesano de San Bartolo Coyotepec. Valle de Oaxaca.

5. Danza de los Moros en las calles de Olinalá, Guerrero.
6. Baile de las mujeres mixes de Tlahuiltontepec, Oaxaca.
7. La Huaracua. Baile popular de Santa Clara del Cobre, Michoacán.

8. Tarahumara en sus festividades de Semana Santa. Samachique, Chihuahua.
9. Fiesta de la Huaracua. El Baile de los Jóvenes, en Santa Clara del Cobre, Michoacán.
10. Danza del Venado interpretada por un campesino mayo de Ahome, Sinaloa.

11. La Reina del Huipil. Celebración tradicional en Cuetzalan, Sierra de Puebla.

12. Cartonería y pólvora. Los Reyes, Hidalgo.
13. Músicos tocando la Danza de los Diablos en la Mixteca Baja de Oaxaca.
14. El uso de la cohetería en las fiestas tradicionales del medio indígena juega un papel muy importante. Los Reyes, Hidalgo.

15. Preparativos de ornamentaciones con cohetes en figuras de cartón.
16. Gigantes y «Mojigangas». Estado de Oaxaca.
17. «Mojigangas» en el festival indígena del Xumilme-Ilhuitl. Tasco, Guerrero.
18. Fiesta indígena del Estado de Oaxaca.

19.   Representación del Emperador Moctezuma en una fiesta indígena del Estado de Oaxaca.

20. Baile de Carnaval de San Juan Huiluco, Puebla. Representación en el Atlixcayotl. Atlixco, Puebla.
21. Jarabes mixtecos de El Rosario Micaltepec, zona mixteca poblana.
22. Artesana alfarera de Ocumicho, Michoacán, en el día de la fiesta del pueblo, con los panes usados en danzas y ofrendas.

»A los principios cantan romances y van despacio; tañen, cantan y bailan quedo, que parece todo gravedad; mas cuando se enciende, cantan villancicos y cantares alegres; avívase la danza, y andan recio y apriesa; y como dura mucho, beben, que escancianos están allí con tazas y jarros.

»También algunas veces andan sobresalientes unos truhanes, contrahaciendo a otras naciones en traje y en lenguaje, y haciendo el borracho, loco o vieja, que hacen reír y placen a la gente.

»Todos los que han visto este baile, dicen que es cosa mucho para ver, y mejor que la zambra de los moros, que es la mejor danza que por acá sabemos...»

La formación descrita en círculos concéntricos, con los señores principales en los más cercanos al centro, lo que les permitía moverse más despacio y dignamente, y el pueblo en los exteriores, en los que era forzoso bailar a un ritmo más agitado y menos solemne, se conserva hoy en la danza de los Concheros, en la que puede participar en el círculo exterior todo aquel que ha hecho voto de bailar, pese a su falta de habilidad, o carencia del traje especial para la danza, mientras que los buenos danzantes lo hacen en el círculo interior, con sus trajes y penachos.

Otro tipo de danza practicado por los mexicanos sería la que se efectuaba en los palacios para diversión de los señores, similar a la que se practicaba en las cortes europeas. A éste se refieren algunos especialistas como el «baile chico», en contraposición con el «baile grande» de las ceremonias religiosas y populares, y se llevaba a cabo también en casas particulares con motivo de alguna boda, bautizo u otro acontecimiento, componiéndose de pocos bailarines que solían formar dos líneas paralelas y bailaban con el rostro vuelto hacia una de las extremidades de su línea, o mirando cada uno al que tenía enfrente, o cruzándose los de una línea con los de la otra y a veces separándose uno de cada línea y bailando en el espacio intermedio mientras los otros se quedaban quietos. También actuaban en estas funciones palaciegas trovadores que ensalzaban las virtudes y proezas de los señores y sus antepasados.

Vetancourt, en su «Teatro Mexicano» (pág. 353), describe unas danzas acrobáticas preferidas por Moctezuma II:

«Gustaba también del juego de matachines, que era subirse uno encima del otro, y sobre éstos danzaba uno con ligereza. Otras veces gustaba de ver los jugadores de pies (cuauhtlatlazque), que acostados juegan con los pies un palo grueso y rollizo de 3 varas con notables vueltas que le dan, y hoy lo usan. A este palo jugaban al trapecio, porque puesto en los hombros de dos hombres, con ligereza se trepaba uno, haciendo, como en la maroma, diversas suertes».

Extensa referencia encontramos en los cronistas sobre otros bailes, como el que llamaban cuecuechcuicatl, «baile cosquilloso o de comezón», a los que juzgaban licenciosos y que se ejecutaba por guerreros jóvenes y las auianime, especie de geishas nativas. Durán tacha a dicho baile de «agudillo y deshonesto», propio de «mujeres deshonestas y hombres livianos», por «tantos meneos, visajes y deshonestas monerías que en él se hacen». El Diccionario de Motul nos informa que los mayas practicaban bailes similares que llamaban Coc okay y Nicte-Kay.

Torquemada escribe que: «Los cantares en el mes de Tecuihuitontli eran de amores, dulces historias, riesgos de caza y montería, hazañas de hombres y sucesos notables; si para éstos eran alegres, tornábanse tristes y melancólicos en las exequias de los difuntos y en las ceremonias de los muertos».

Pero la más desarrollada e importante de las manifestaciones tanto musicales como dancísticas era la que se efectuaba con motivo de las grandes solemnidades religiosas públicas, algunas con fechas movibles, otras que coincidían con fechas fijas dentro del calendario, cada una dedicada a una deidad especial.

En estas magnas fiestas bailaban aun los señores, en ciertas ocasiones, y según los casos, los sacerdotes, los guerreros, los mancebos, las mujeres y las doncellas consagradas al templo.

De estos grandes festivales, uno de los preferidos por los aztecas, según el historiador Durán, era el que se efectuaba en honor de Macuilxóchitl (o Xochipilli) y Xochiquetzal, los dioses de la música y la danza, a la que se pudiera llamar la fiesta de las flores:

«El baile de que ellos más gustaban era el que, con aderezo de rosas, se hacía, con las cuales se coronaban y cercaban, para el cual baile, en el momoztli principal del templo de su gran dios Huitzilopochtli, hacían una casa de rosas y hacían unos árboles a mano, muy llenos de flores olorosas, a donde hacían sentar a la diosa Xochiquetzalli; mientras bailaban descendían muchachos vestidos como pájaros y otros como mariposas, muy bien aderezados de plumas muy ricas, verdes y azules, coloradas y amarillas, y subíanse por estos árboles y andaban de rama en rama, chupando del rocío de aquellas rosas, luego salían los dioses, vestidos cada uno con sus aderezos, como en los altares estaban, vistiendo indios a la misma manera y con unas cerbatanas en las manos andaban a tirar a los pajaritos fingidos que andaban por los árboles, de donde salía la diosa de las rosas a recibirlos y los tomaba en sus manos y los hacía sentar junto a sí, haciéndoles mucha honra y acatamiento como a tales dioses merecían, allí les daba rosas y humazos y hacía venir sus representantes y hacíales dar solaz. Éste era el más hermoso, lujoso y solemne baile que esta nación tenía y así agora, pocas veces veo bailar otro si no es por maravilla...».

Pero la opinión de los cronistas coincide en señalar como la festividad más importante la que se celebraba en el Tóxcatl, quinto mes del calendario, en honor de Huitzilopochtli, su dios principal.

Torquemada menciona que durante el Tóxcatl el mancebo que representaba a Huitzilopochtli, adorado y vestido como el dios por espacio de un año y que sería sacrificado al culminar la festividad, «...bailaba, en los Bailes plebeios este Día, con los otros danzantes, e iba adelante de todos, guiándolos, como representando, que el Dios, cuia imagen era, les guiaba a todas sus Batallas...».

«...En esta fiesta todas las doncellas se afeitaban las caras y componían con pluma colorada los brazos y piernas, y llevaban todas unos papeles puestos en unas cañas hendidas, que llamaban teteuitl, el papel era pintado con tinta; otras, que eran hijas de señores o de personas ricas, no llevaban papel sino unas mantas delgadas que llamaban canoac; también las mantas iban pintadas de negro a manera de vírgulas, de alto a bajo.

»Llevando en las manos otras cañas, con sus papeles o mantas altas, andaba la procesión con la otra gente, a honra de este dios, y también bailaban estas doncellas con sus cañas y papeles asidos con ambas manos, en derredor del fogón, sobre el cual estaban dos escuderos, teñidas las caras con tinta que traían a cuestas unas como jaulas hechas de tea, en las orillas de las cuales iban hincadas unas banderitas de papel; y llevándolas a cuestas, no asidas

de la frente, como las cargas de los hombres, sino atadas de los pechos como suelen llevar las cargas las mujeres; éstos, alrededor del fogón, en lo alto, guiaban la danza de las mujeres, bailando al modo que ellas bailan.

»También los sátrapas del templo bailaban con las mujeres; ellos y ellas bailando saltaban y llamaban a este baile toxcachocholna, que quiere decir saltar o bailar de la fiesta de tóxcatl.

»Llevaban los sátrapas unas rodajas de papel en las frentes, fruncidas a manera de rosas de papel. Todos los sátrapas llevaban emplumadas las cabezas con pluma blanca de gallina, y llevaban los labios y parte de los rostros enmielados, de manera que relucía la miel sobre la tintura de la cara, la cual siempre traían teñida de negro.

»Los sátrapas llevaban unos paños menores que ellos usaban, de papel, que llamaban "amamaxtli" y llevaban en las manos unos cetros de palma, en la punta de los cuales iba una flor de pluma negra y en lo bajo una borla también de pluma negra, por remate del cetro...».

«...Toda la gente del palacio y la gente de guerra, viejos y mozos, danzaban en otras partes del patio, trabados de las manos y culebreando, a manera de las danzas que los populares hombres y mujeres hacen en Castilla la Vieja.

»Entre éstos también danzaban las mujeres doncellas, afeitadas y emplumadas de pluma colorada... y llevaban en la cabeza puestos unos cepillejos compuestos en lugar de flores con maíz tostado, que ellos llaman "momochtli", que cada grano es como una flor blanquísima...»

«...Todo se hacía con gran recato y honestidad; y si alguno hablaba o miraba deshonestamente, luego le castigaban porque había personas puestas que velaban sobre esto. Estos bailes y danzas duraban hasta la noche.»

II. EVOLUCIÓN DE BAILES Y DANZAS MEXICANAS A PARTIR DE LA CONQUISTA ESPAÑOLA

A partir de la Conquista, desde 1521, comenzó en México la era de la influencia española. Todos los elementos que configuraban las manifestaciones culturales anteriores fueron eliminados, en forma violenta los más trascendentes y de manera tenaz y progresiva los secundarios.

Los indígenas, sin embargo, no abandonaron sus antiguas creencias y costumbres tan fácilmente y éstas se fueron infiltrando en las que iban siendo introducidas, dando lugar a una *sui generis* forma de expresión que manteniendo las raíces indígenas, dejaba ver las influencias de las nuevas ideas y conceptos artísticos, filosóficos y morales.

En materia de música y danza, el efecto fue inmediato, con la introducción de la guitarra y otros instrumentos europeos de cuerda, que fueron rápidamente adoptados por los indígenas, y el desarrollo de la música y danza mestizas, tanto en el campo religioso como en el profano.

La música popular española

La cultura que a través del conquistador español venía a constituirse como una de las raíces formativas de la futura nación mestiza mexicana, era, por su parte, el resultado de la mezcla de una gran variedad de culturas y de caracteres reciamente acusados, las que habían ejercido su influencia sobre la península desde los más remotos tiempos de su historia. Iberos y celtas, fenicios, tartesios, griegos, cartagineses, romanos, bizantinos, suevos, vándalos y alanos, visigodos, judíos y árabes: todos dejaron en España huellas de su lengua, religión, costumbres y leyes. De su entrecruzamiento y asimilación nació el complejo pueblo español.

Por esta excepcional mezcla de razas e influencias culturales, algunas de las danzas populares españolas se componen de movimientos que no se parecen a los de ningún otro país europeo.

Sabemos que los gitanos, numerosos en España, aportaron a sus danzas los gestos hindúes cuando se esparcieron por Europa muchos siglos atrás.

La palabra gitano deriva de egipciano, pero en realidad los gitanos eran hindúes. Su lenguaje está emparentado con el sánscrito hindú. Viajando por toda Europa, guardaron consigo muchas de las costumbres de sus antepasados, y dondequiera que fueron, aun en los Midlands ingleses, encontramos en las danzas el brillante uso oriental de las manos, el movimiento de los hombros, la ondulación de las caderas, la inclinación de la espalda hacia atrás.

Sin embargo, el flamenco — aun perteneciendo a los gitanos del sur de la península Ibérica —, como la mayor parte de las danzas españolas, tiene su origen entre los mahometanos africanos, o moros, que se introdujeron e invadieron España en la Edad Media y permanecieron en ella a lo largo de 800 años.

El pueblo árabe, nómada infatigable, se desplazó desde el lejano desierto hasta llegar a España, recogiendo de todos los países a su paso cuanto pudo asimilar: los instrumentos y las melodías pentafónicas del Copto; Siria y Grecia, en donde encontraron elementos tan similares a los propios; y llegaron a España a través del norte de África, donde por ocho siglos impusieron su prodigiosa cultura, fundaron universidades, organizaron la agricultura, desarrollaron el álgebra, la astronomía, la medicina, los numerales que hoy usamos, la ingeniería y el sistema de riego, las ciencias y las artes más avanzadas de su tiempo, en fin, dándole a España una fisonomía completamente diferente a la de los demás pueblos europeos.

Sus danzas reflejaban todos los aspectos orientales del Mediterráneo, uniendo a éstas ciertos rasgos africanos. Las danzas de los hombres eran frenéticas, repetitivas, acrobáticas. Las mujeres nunca interpretaban danzas religiosas ni bailaban junto a los hombres.

Al ser arrojados de su último reducto español en Granada (1492, el mismo año del descubrimiento de América), parte de su forma de vida fue absorbida por aquellos con los que habían mantenido estrecha relación, mientras numerosos miembros de la población musulmana se quedaban en España, adaptándose a las ideas y costumbres cristianas. De esta unión nació la danza popular española que aúna la interna consternación, casi mística, con las ondulaciones de brazos y caderas, el quiebre de la cintura, el uso formal de los ojos, la torsión ritual de las manos, el chasquido de los dedos, la manipulación de velos, volantes y faldas de su raíz oriental, y los saltos, carreras, zapateados, las castañuelas y el tamboril griegos y romanos, los asombrosos saltos de aragoneses y vascos, la brillante técnica en los ritmos de punta y talón, que es de la propia invención de los españoles.

Así los bailes andaluces están llenos de reminiscencias orientales, que unen el ritmo a la sensualidad en un complejo producto de influencias múltiples:

árabes, indogitanas, judías, africanas y aún más antiguas, según la investigadora Gloria Ginés de los Ríos, que las hace derivar de los tartesios, una de las primeras emigraciones que conformaron la población de la península: «Eran también famosas las bailarinas tartesias que hacían furor en las grandes ciudades orientales. Su arte es considerado por muchos como el origen del baile andaluz, que perdura principalmente en esa región del Guadalquivir, entre otras, en las danzas llamadas "sevillanas". Los trajes que usaban, a juzgar por las figurillas encontradas, tenían amplias faldas de volantes, como las que aún usan las gitanas: impresionante y bella supervivencia de un pasado tan remoto». (*Manual de Historia de la Civilización Española*, c. II, p. 17.)

En contraste con el baile andaluz, en el que las parejas parecen bailar como tigres de rítmica fiereza, la serenidad y gracia de la sardana en el nordeste catalán, que se conserva desde hace dos mil años, como un himno popular espontáneo evoca la esencia de esa época antigua cuando se bailaba con sandalias y túnicas en la clásica rueda, tomados de las manos. En un principio constaba de 24 compases, que simbolizaban las horas del día.

Además de la sardana otros pueblos catalanes poseen infinidad de antiguos bailes o «ballets» que pertenecen en parte a un fondo común europeo del folklore. Algunos tiene carácter religioso y se interpretan en el interior del templo o fuera de él; otros especie de entremeses con un argumento determinado propio de una simbología religiosa o astral, o simplemente de leyendas locales, y los más representan una forma de baile de diversión.

A veces entran en escena disfraces caprichosos entre los que destacan las grandes cabezas de cartón de los «cabezudos», los «caballitos», dragones, y otros simbólicos animales que se combinan con personajes como el demonio con máscara de madera tallada, con cuernos y barba de pelo de macho cabrío. Otros bailes tienen carácter atlético y de habilidad, como el de los bastones o el que, similar al maypole inglés o el de las cintas mexicano, se escenifica llevando los bailarines cintas que entrecruzan alrededor de un mástil central, probable remanente de un antiguo rito de fertilidad.

La mayor parte de las provincias españolas cuenta con sus bailes regionales de características propias. La jota aragonesa, que se dice fue inventada por un poeta moro y que indudablemente tiene elementos europeos, asiáticos y africanos, es violenta y rápida, bailada con vehemencia, con extraordinarios saltos en los hombres que inspiraron algunos de los que efectúan los bailarines del ballet clásico. En Valencia la jota adquiere un ritmo más reposado y sereno.

En las provincias vascongadas los «espatandanzaris» interpretan la difícil y espectacular danza de las espadas, el «aurresku», contradanzas, «purrusaldas», etcétera, acompañadas del típico «txistu» con tambor, dulzaina y pito.

En Asturias la antigua danza en círculo alternando muchachos y muchachas se denomina «danza prima»; la gaita gaélica acompaña las «muñeiras» gallegas, baile elegante, sentimental y alegre; Salamanca tiene sus «charadas», Valladolid el «zángano», León la «giraldilla», Burgos el «agudo», La Mancha sus «seguidillas»; Mallorca el «copeo», el «bolero» y el «fandango».

Diversos aspectos de la música y danza en México a partir de la Colonia

Durante los siglos que duró la Colonia, la música y danza populares se desarrollaron simultáneamente en México, cubriendo diversos aspectos.

Por un lado la música religiosa representada por los motetes populares, danzas religiosas, pastorelas, coloquios religiosos, alabados y alabanzas; por otro la semirreligiosa, gran variedad de danzas que en su origen fueron religiosas pero que al desarrollarse adquirieron carácter profano; en tercer lugar la música profana: cantos de cuna, rondas infantiles, canciones de amor, la valona, el corrido, el son y el huapango.

A diferencia de lo ocurrido con la literatura y otras expresiones de las culturas mesoamericanas, la danza no fue prohibida por los evangelizadores cristianos, que vieron en ella un instrumento vital para la expresión religiosa y trataron de usarla como parte del ceremonial católico, impregnando los elementos nativos con el nuevo espíritu cristiano.

Así, en lugar de las luchas entre caballeros tigres y caballeros águilas aparecen, con resultados a veces grotescos, la pugna entre moros y cristianos, en la que el patronaje de los santos ayudaba a combatir a los enemigos de la fe católica.

IV. Una de las interpretaciones indígenas más frecuentes en las danzas mexicanas es la figura del tigre en diferentes modalidades. Ésta es una máscara ejecutada por artesanos de Olinalá, Guerrero, para la danza de «Tlacololeros».

caciones, se introdujeron en México a través de las islas del Caribe, de donde llegaba la mayor parte de los negros y mulatos avecindados en México y alto obligado para las flotas procedentes de España que pasaban primero por el puerto de La Habana y de allí se encaminaban al de Veracruz.

Es en el puerto jarocho donde la Inquisición levantó su queja contra el llamado «chuchumbé», por ser baile deshonesto, amenazando de excomunión a quienes lo divulgaran, que eran, por lo demás — según asientan —, «gente vulgar y marinera, negros y mulatos en su mayoría».

A partir de la Independencia, cuando este tipo de prohibiciones se levantó, se extendieron los bailes y canciones de influencia africana y caribeña en sones y huapangos, por toda la República, aunque sus huellas se pueden ver más claramente, como es natural, a lo largo de la costa veracruzana.

La marimba, que fue introducida en México por Chiapas, es de probable origen africano. Los negros trasladados al trópico americano encontraron elementos naturales adecuados para construir un instrumento similar al que poseían en sus países de origen hecho con calabazas, que se llamaba marimba, myrimba, mandinga o amadinha, según nos informa en su libro «Horizontes de la música precortesiana» el eminente músico mexicano Pablo Castellanos. Con su actual fisonomía, la marimba mestiza de «cajones» es disfrutada por guatemaltecos y chiapanecos como autores.

En los dos siglos de vida colonial se desarrolló inevitablemente una música y danza mestizas que mezclaban las formas europeas — no sólo españolas, sino de otros muchos países con los que, a través de España o directamente, se tuvo cierto contacto —, con las nativas, en mínima parte que se restringe al ritmo en ciertos géneros de composición, y las de las culturas africanas, en cierta forma americanizadas ya en el Caribe.

La nueva expresión artística de este país adquiere su consolidación definitiva en el siglo XVIII.

Al aparecer el «son» a principios del siglo XVIII — aplicado este nombre a los cantos y bailes populares —, en él estaba ya representada en la música y la danza la sensibilidad mestiza, base en todos los aspectos de la nacionalidad mexicana.

Generalmente el son es picaresco, como su antecesor, en la península Ibérica, el cantar, y este carácter hizo que se prohibieran algunas de sus coplas a las que se acusaba de faltar el respeto a las autoridades religiosas.

El son se denominó después de distintas formas, según la región en la cual se produjo y el tipo que adquirió en cada una de ellas, surgiendo de él el jarabe, el huapango o la jarana, entre otras particulares de cada zona del país.

Según indica el investigador Gabriel Saldívar en su «Historia de la música en México», se conocía en España como Jarabe Gitano a mediados del siglo XVIII a la letra licenciosa de la seguidilla manchega, una danza de compás de tres tiempos, de movimientos muy animados que tenía por particularidad iniciarse y finalizar con un estribillo.

A fines del siglo XVIII los jarabes en México ya habían tomado la forma y características propias, dándose la denominación de jarabe a gran variedad de sones que tenían en común algunos elementos, sobre todo en la parte bailable, la que adquirió mayor esplendor desde esa época y durante el primer tercio del siglo XIX, especialmente en la región de Jalisco y Michoacán.

Otros elementos que intervinieron en la formación del jarabe fueron el bolero, derivado de la seguidilla, pero más moderado en sus movimientos, y que llevaba al final de cada una de sus tres partes un desplante o suspensión del baile en el que descansaban los danzantes mientras la música repetía la tonadilla; la tirana, que como todo este nuevo tipo de bailes tenía ante las mojigatas autoridades eclesiásticas un carácter subversivo en el que se hacía una «sátira de la sagrada religión» y como tal fue denunciado ante la Inquisición, y que comprendía los bailes llamados «pan de manteca», «pan de jarabe», «chimizclanes», etc.

Siguiendo al citado investigador Gabriel Saldívar, el «pan de jarabe» tenía un verso cantado que decía:

Ya el infierno se acabó,
ya los diablos se murieron,
ahora sí, chinita mía,
ya no nos condenaremos.

Los jarabes que tuvieron más renombre durante la Colonia fueron los llamados «Pan de Manteca», «Las Bendiciones», «Pan de Jarabe», «El Jarabe del Gato», «El Jarro», «La lloviznita» y otros que por su carácter burlesco y sus versos de doble sentido fueron a veces objeto de persecución y llegaron a prohibirse en 1802 por el virrey D. Félix Berenguer.

Los primeros jarabes mexicanos eran de una estructura muy sencilla: introducción instrumental en la que los bailadores escogían, invitaban y hacían la corte a sus parejas, al mismo tiempo que insinuaban los primeros pasos del baile; una copla cuyo tema daba su nombre al jarabe y un estribillo final relacionado con la copla, que se hacían escuchar repetidas veces. Después se le agregó entre la copla y el estribillo un vivo zapateado con el que los bailadores hacían gala de su habilidad y un descanso o paseo necesario para reponer energías, galantear y seguir bailando.

A fines del siglo XVIII la popularidad del jarabe se extendió por diversas regiones del país, adquiriendo caracteres localistas en cada una.

En el siglo XIX diferentes compositores y «bailadores» lugareños dieron a este baile modalidades propias e introdujeron nuevos sones y pasos, entre los que abundaban los humorísticos, los románticos, los imitativos, los patrióticos y los que señalaban algún oficio: Los Enanos, El Limoncito, El Guajolote, El Federal, Los Aguadores, etc.

Durante la guerra de Independencia las tropas insurgentes de la Nueva Galicia celebraban sus triunfos bailando el jarabe de Jalisco, «al que se unía todo el pueblo en una explosión de alegría. A imitación de este jarabe nacieron sones y jarabes en casi todo el país, cada uno con las características propias de cada región, pero el jalisciense, por ser la bandera que portaba el ejército insurgente, fue visto por el pueblo con el apetito que despierta lo prohibido y después como una expresión de libertad».

Los estudiosos del tema encuentran en este baile, además de la indudable influencia española — sobre todo en lo que respecta a la jota aragonesa —, otras varias, desde la danza amorosa de los cocas, que habitaban al sur del territorio, de quienes queda el baile de «Los Compadres», que es el mismo erótico antiguo, hasta el célebre baile del «Guajolote», originario de los huicholes, en el cual imitaban el cortejo del varón a la hembra, «haciendo la rueda», a la manera de estos animales, o del «Son del Pavo», que actualmente se baila en Campeche y cuyas semejanzas en movimientos y música con el Jarabe no

dejan lugar a dudas (según observaciones directas de doña Esther Zuno de Echeverría, 1970).

Por su parte, el huapango, aunque en su etimología (cuauhpanco = sobre el tablado) parece indicarnos que se refiere a todos los bailes sobre tarimas que se ejecutan en ambas costas, en realidad se circunscribe a un área localizada en la costa del Golfo de México en los Estados de Veracruz y parte de Tamaulipas, a las Huastecas (Veracruz, Tamaulipas, Hidalgo y San Luis Potosí) y la Sierra de Huauchinango, Puebla.

Se encierra en esta denominación una gran variedad de sones, como en el jarabe, que tienen como raíz los boleros, seguidillas y fandangos españoles, influenciados por el ritmo autóctono y africano-antillano. Todos estos sones tienen como elemento común el ritmo.

El huapango conocido como «El Torito» o «Son del Torito», se suponía derivaba del antiguo «tango gitano» o «tango etíope» de origen africano, que se ejecutaba en la danza de ciertas ceremonias rituales llamadas «tang», y también se pensó que podía ser su antecedente la famosa «tirana», un aire de baile y canto de movimiento moderado, muy de moda en la Nueva España desde mediados del siglo XVIII. Esta danza se bailaba en la Península con un compás bien marcado, haciendo movimientos a un lado y a otro del cuerpo, llevando las mujeres un gracioso jugueteo con el delantal y los hombres con el sombrero o el pañuelo, de donde pasó a interpretarse los movimientos propios de la fiesta del toreo, costumbre que persiste hasta nuestros días en numerosos bailes regionales mexicanos.

El movimiento de Independencia trajo consigo la exaltación del nacionalismo y con el intercambio de personas procedentes de distintas regiones del país durante la lucha, nacieron expresiones musicales que aunque basadas en las populares anteriores, iban adquiriendo cada vez más un carácter propio y único.

Con el nacimiento de la nueva nación mexicana, las influencias europeas de la época no dejaron de hacer sentir sus influencias, sobre todo en ciertas clases sociales, aunque siguiera su desarrollo al mismo tiempo la corriente popular.

Las clases altas ejecutaban las danzas propias de la corte, pero «...el pueblo se apoderó de ellas con facilidad, ya que no pudo apoderarse de los bailes predecesores más antiguos, la gavota, la zarabanda,

V. Los carnavales indígenas tienen un gran arraigo popular en diversas zonas del país y uno de los más brillantes es el que se celebra en Tenejapa, Alto Chiapas, por grupos indígenas tzeltales.

Danzas del México actual

CALENDARIO FESTIVO

Como en el México prehispánico, en el actual se celebran innumerables fiestas a lo largo del año, en las que nunca falta la interpretación de danzas o bailes regionales, según el tipo de población en las que se lleven a cabo.

A través de los 365 días del calendario que nos rige se guardan no menos de 120 días de fiestas religiosas, cívicas o simplemente tradicionales: los Santos Reyes, la Candelaria, Corpus Christi, la Asunción, el 5 de mayo, aniversario de la Batalla de Puebla, Semana Santa, Carnavales, Virgen de Guadalupe, Posadas, Fiestas Patrias en septiembre, y todos y cada uno de los santos patronos de los pueblos, villas e iglesias.

Así es que todos los días en algún lugar, o varios simultáneamente, se despliega todo el aparato multicolor de la fiesta popular, que en México se ha conservado viva y espontánea, con diversos y emocionantes matices, derivados de la fusión de dos grandes tradiciones, la de las altas culturas mesoamericanas y la de España.

Al carácter especial de las fiestas mexicanas está íntimamente ligada el de las danzas que se interpretan como parte fundamental de ellas.

Todas las fiestas religiosas tienen un doble propósito —devoción y diversión—. Generalmente, cuanto más indígena es el pueblo mayor es el énfasis en la primera y cuanto más mestizo y urbano, en la última.

Al contrario de como pudiera parecer, la fiesta no constituye un motivo de descanso y recreación, sino que por el contrario hace redoblar la actividad, sobre todo en el nivel popular de la población, que aporta a ella su tiempo, trabajo, dinero y entusiasmo.

La fiesta es para la población rural e indígena del país como la pincelada de color en la monotonía de su vida. A su preparación se dedican todo el año con objeto de poder financiar o aprender su papel en la que debe ser la mejor celebración al santo patrón bajo cuya protección viven y trabajan. Es como una obra de arte a la que todos contribuyen de la mejor manera posible, ya sea en la decoración, la comida, la música, las danzas y dramas, los trajes o los fuegos de artificios.

El total peso de la fiesta descansa en ciertos grupos o individuos. Frecuentemente encontramos comités especiales (mayordomías) para la organización de una o varias fiestas durante el año, entre los vecinos de una calle o de un mismo pueblo, que se encargan del adornado de calles y plazas, preparación de platillos especiales, alquiler de músicos, cantores y danzantes cuando el lugar no tiene sus propios conjuntos, para lo cual cuentan con la contribución de cada uno de los habitantes.

En otros lugares, especialmente entre las comunidades indígenas, un hombre es seleccionado para tomar el cargo (carguero), lo que constituye un honor del que habrá de resultar el prestigio ante la comunidad en caso de salir airosamente del compromiso.

Para que la celebración a su cargo sea verdaderamente sensacional, el carguero no reparará en vender sus animales, herramientas o cualquiera de sus posesiones, aun cuando esto significara su ruina financiera. Su recompensa la tendrá al caminar a la cabeza de la procesión o al ocupar su lugar especial de honor, ataviado con el traje propio de su cargo, ante las miradas admirativas de todos.

51

En ese sentido la fiesta actúa como nivelador social. Suelen ser escogidos como cargueros aquellos que se destacan por su prosperidad económica, los que después de la fiesta quedan igualados a todos los demás y así se impiden las distinciones de clase, estableciéndose el balance en la economía comunal.

Especialmente en el campo y más aún en los pequeños pueblos, las fiestas abarcan costumbres y actitudes de cientos y aun millares de años de existencia, que son llevadas a veces a cabo por toda la comunidad, actuando como un clan, de modo que todo el pueblo participa junto con centenares de peregrinos de pueblos vecinos que vienen a participar de los poderes milagrosos de la imagen local o a traer mercancías en el tianguis obligado de cada fiesta, donde se exhiben los productos locales y las artesanías de cada lugar.

Los sonidos, olores y calores nos transportan a otros tiempos todavía no aprisionados por la era de la computadora, que nos está echando a perder elementos tan imprescindibles para la vida humana como el oxígeno y la belleza.

El estruendo de los cohetes y el repique de las campanas de la iglesia anuncian el comienzo de la fiesta, generalmente con una misa tempranera a la que acuden algunos danzantes que bailan en honor del santo festejado, los mismos que después danzarán en el atrio el resto del día.

En algunos pueblos todavía es costumbre anunciar que la fiesta va a comenzar tocando el tambor y la chirimía, como se hiciera en el México antiguo.

Cada fiesta suele incluir misas especiales y alguna procesión en la cual la imagen del santo se lleva a través del pueblo con gran ceremonia.

En Patamban, Michoacán, la procesión pasa, a la caída de la tarde, sobre una alfombra de flores o serrín colorido formando hermosos diseños, preparada por los vecinos de cada tramo, la cual cubre toda la ruta desde la iglesia a la salida del pueblo hacia una capilla situada en un cerro cercano.

Existen tres cosas sin las cuales las fiestas populares no tendrín lugar: primero la pólvora, y después la música y la danza.

Como los chinos, los mexicanos han llegado a perfeccionar el arte de la pirotecnia, al que se aficionaron desde la llegada de los españoles, en sus diversas formas de uso. Cada fiesta debe terminar, como nocturna parte culminante, con una exhibición de juegos pirotécnicos, dependiendo de la importancia de la fiesta o de las posibilidades económicas del lugar, si nada más se queman canastillas y girándulas o si colocan uno o hasta diez «castillos», que llegan a alcanzar los 20 m. de altura. Estos «castillos», con sus girándulas multicolores que se pierden zumbando en la oscuridad del cielo, sus figuras de animales, de iglesias, retratos de héroes nacionales o santos, constituyen siempre la máxima atracción de la fiesta.

Los encargados de su organización encomiendan la labor de construir los «castillos» a coheteros, artesanos especializados, que en ocasiones llegan con las girándulas ya confeccionadas o las hacen en el lugar. En los pueblos indígenas la música de flauta y tamborcillo acompaña durante todo el tiempo el trabajo de los pirotécnicos.

En ocasiones se emplea la pólvora explosiva introducida en un tubo de hierro que se clava en el suelo, con el único propósito de provocar un estruendo ensordecedor.

Son particularmente gustados en México los «toritos» de luces, hechos de mimbre, caña de bambú, cartón o rafia y cubiertos con un petate o con la piel de algún animal. Sobre el cuerpo del toro, de un largo aproximado de 1 m. hay una estructura de 1 a 2 m. de alto, de cañas de bambú, donde se instalan girándulas y cohetes. El danzante del toro se coloca la armazón sobre los hombros y corre con él, asustando a los espectadores cuando los cohetes empiezan a estallar. Los jóvenes y chiquillería del lugar corren tras él, procurando arrancar partes del animal, con las consiguientes quemaduras para los más atrevidos.

William Spratling, en su libro «A Small Mexican World», nos describe el sentimiento que le inspiran las fiestas mexicanas:

«Presenciar una fiesta por primera vez, una fiesta verdadera, donde la gente llega de todos los pequeños pueblos de las montañas alrededor y de las distintas poblaciones de Tierra Caliente, es ver a México. Encontrarse hombro con hombro con la población indígena, verlos sonreír, realizar sus ocupaciones, comer sus sencillas comidas, discutir los problemas agrarios con una copa de tequila, acomodarse sobre la tierra para pasar la noche y, sobre todo, observar sus danzas y el misterio en el rostro de los danzantes, es una profunda experiencia y

VI. Al norte de México, en el Estado de Chihuahua, en la comunidad étnica de los tarahumaras, se interpretan varias danzas durante la Semana Santa. Este danzante abraza a «Judas» antes de despedazarlo como parte de la ceremonia.

23, 24. Representación popular de la Batalla del 5 de mayo en el Estado de México. Alrededores de Chiconcuac.

25, 26. Desfile de calendas antes del inicio de la fiesta tradicional de San Pedro Apóstol. Oaxaca.

27. Músicos de la Sierra de Juárez.
28. Baile tradicional en su día de fiesta. Tlacuilotepec, Oaxaca. Región mixe.
29. Interpretación de un baile de la zona mixteca. Huautla de Jiménez, Oaxaca.

30. Fiesta del 3 de mayo en Huaquechula, Puebla.

VII.   Atento a la secuencia de la festividad del grupo, este jinete ataviado con la tradicional indumentaria de Carnaval en Ocozingo, Alto Chiapas. Grupo indígena tzotzil.

una que por cierto no es fácilmente descriptible...».

A una fiesta que dura una semana o más, y especialmente si está asociada a una peregrinación religiosa, suele llamársele feria. En ellas el mercado es más grande de lo usual y en el espacio abierto alrededor de la iglesia hay puestos de comida, concesiones de juegos y quizás algunos juegos mecánicos, como ruedas de la fortuna, etc.

Parte vital en la fiesta del pueblo es el jubiloso estrépito de la música de viento ejecutada por la banda del lugar en la plaza principal o el atrio de la iglesia.

A partir de la primera mitad del siglo XIX surgieron a la vida popular estas agrupaciones musicales, con entusiastas vecinos, campesinos, pequeños comerciantes o artesanos, que dedican parte de su tiempo libre a ensayar con el grupo y considerable cantidad de su escaso peculio a adquirir, en buen o regular estado, el instrumento necesario.

El investigador Rubén M. Campos (*El folklore y la música mexicana*) apunta que en cada fiesta, danza tradicional, bautizo o boda rumbosa, entierro de infante o visita de funcionario político, la multitud se agolpa en torno a la «charanga», «fanfar», o, en fin, banda de música de viento, dirigida generalmente por un músico que toca el cornetín con la mano derecha, mientras con la izquierda lleva el compás, marca las entradas a determinado instrumentista y enfatiza las matizaciones culminantes de la pieza. En torno a él flautas, clarinetes, requintos, trombones, saxores, bugles, barítonos y bajos, con el tambor y la tambora detrás, se esfuerzan cada uno por llevar la voz cantante y por lucirse en las variaciones y florituras con que adornan el canto.

Afortunadamente, el instintivo sentido del ritmo y oído musical de este pueblo impide que el conjunto se convierta en un galimatías y los aciertos para improvisar variaciones sobre un tema popular, por parte de alguno de los voluntarios solistas, siempre son recibidos con sonora alegría por la concurrencia.

A pesar de las diferencias entre las diversas regiones en lo que se refiere a celebraciones populares, hay algunas que comparten todas las entidades del país, llegando a formarse un verdadero ciclo festivo como lo hubo en el México prehispánico para sus celebraciones mensuales en honor de los diferentes dioses.

El comienzo del ciclo festivo no coincide con el del año, puesto que las primeras celebraciones, de Reyes Magos o Epifanía y la Candelaria, pertenecen a un ciclo anterior que comienza con las Posadas en el último mes del año. Por otra parte, el año ceremonial indígena comenzaba con los primeros brotes de la primavera, la nueva vida que empieza.

I. EL CARNAVAL

Entre las festividades más populares está el Carnaval, cuyo auge ha decaído en la capital y las ciudades importantes, manteniéndose en los litorales, aunque con un sentido similar al de los carnavales que se celebran en otros países.

Toma un matiz muy distinto entre los pueblos indígenas y más fuertemente cuanto menos mestizados están, quizá porque sincretizan en él sus antiguas fiestas del año nuevo, que correspondían a esta época. Sus nemontemi o «cinco días inútiles» sobrantes del calendario, eran en febrero. Por esta razón el carnaval de los pueblos indígenas, mucho más interesante que aquellos de desfiles de carros alegóricos, comparsas y combates de flores, tiene, como todos los festejos autóctonos, una mezcla de lo religioso con lo profano: rito y diversión. A veces se ejecutan las mismas danzas que se bailan en honor de los santos; en otras se reza antes de comenzar la fiesta.

Sigue siendo, como en la época prehispánica —por extraña coincidencia—, época de burlas y de equívocos, a la que se adscribe lo que no pertenece al «mundo de los hombres verdaderos». Por ello hay hombres disfrazados de animales, «mashes» (monos) en Chamula, «muñequitos» en Zacatenco, Hidalgo, que recuerdan las etapas previas a la creación del hombre del Popol Vuh, a las criaturas de mundos fracasados antes de la creación auténtica.

En muchas comunidades indígenas, como Xochistlahuaca —pueblo amusgo de Guerrero, donde tiene lugar una gran batalla de toritos de petate y un cortejo que llaman el «Machomula», con descomunal caballo de palo—, los hombres y niños se visten de mujer con los más extraordinarios huipiles tejidos por las mujeres en el telar de cintura, y envuelven su rostro e incluso el sombrero de palma con paliacates rojos.

Con este mismo carácter, seres irreales, que no

pertenecen al mundo ordinario, sino a este trastocado mundo burlesco en el que nada se llama por su nombre ni es como es realmente, aparecen en distintos lugares, como los «Negritos» en Pinotepa, Oaxaca, los «tejorones» en San Pedro Jicayán, Oaxaca, «zuavos» franceses en Zacapoaxtla y Huejotzingo, Puebla, etc.

Por otra providencial coincidencia, los días de lo inauténtico culminan con el doloroso tránsito del sacrificio que llevará al advenimiento de un mundo verdadero. Por ello, el drama de la pasión de Cristo, el derramamiento de su preciosa sangre en beneficio de la humanidad, de la creación de este mundo redimido, fue tan fuertemente arraigado en la conciencia y la sensibilidad del indígena mexicano, para el cual no constituía un concepto nuevo.

La quema en algunos lugares de un muñeco, símbolo del Carnaval, significa para ellos (según teoría sustentada por los investigadores Carletto y Gutierre Tibón) una ceremonia de purificación para comenzar el año libres de toda impureza, y con este mismo sentido los indígenas de San Juan Chamula corren sobre el fuego a lo largo de un camino de zacate ardiendo, durante la celebración de la Semana Santa.

En otros pueblos se llevan a cabo elaboradas representaciones de batallas, como en Huejotzingo, donde varios cientos de hombres y niños actúan en un complicado drama que dura tres días, con el pueblo entero como escenario.

En él, Agustín Lorenzo, bandido legendario de mediados del siglo XIX, rapta a una doncella a la que hace descender por el balcón del Ayuntamiento hasta su caballo para huir en desaforada carrera. En una choza construida con ramas para representar el escondite del bandido, se celebra la boda entre el alborozo de la gente de su banda, cuando llegan los soldados y queman la choza, comenzando una fiera batalla que durará tres días entre los «salvajes cavernarios» (niños semidesnudos manchados de tizne), los apaches (vestidos con una falda y tocado de plumas adornado con espejitos y escudos), los indios zacapoaxtlas de la Sierra de Puebla (con túnicas negras, calzones blancos y fusiles), los zapadores (camisa azul y pantalón rojo, cada uno con su bandera mexicana y su máscara con barbas) y otros varios contingentes de tropas invasoras francesas, los zuavos de grandes tocados, máscaras de negra barba

puntiaguda y chales bordados, y los españoles. Se suceden las escaramuzas entre soldados y bandidos que tratan de robar las tiendas, pintorescas danzas y rumbosa feria, cuando los padres de la novia perdonan a Agustín Lorenzo y les dan la bendición a los recién casados. La música de banda, cohetes y fiesta dura hasta el miércoles de ceniza y Huejotzingo queda otra vez en paz y tranquilo.

Diferentes danzas especiales se asocian con el carnaval. Los danzantes de Tepeyanco y otros pueblos de Tlaxcala se llaman «Paragüeros» por sus tocados de plumas de avestruz que se desparraman en rueda como las costillas de un paraguas. Llevan además un vistoso chal bordado con flores y animales y una graciosa máscara con gran bigote. Con instrumentos de viento y cuerda bailan con exagerados pasos de polka y mazurca melodías del siglo XIX, en una parodia de la suntuosidad superficial de la alta sociedad durante el imperio y la intervención francesa.

Este tipo de parodias se escenifican también en esta fecha en Santa Ana Chiautempan y Contla, del Estado de Tlaxcala, con la danza de los «Catrines», en la que la mitad de los hombres elegantemente vestidos con sombrero de copa, finísimas máscaras sonrosadas, mascadas y un paraguas abierto, bailan con la otra mitad de los hombres que van vestidos de mujer y cubren sus caras con un pañuelo.

Pero probablemente los danzantes de carnaval más conocidos son los «Chinelos» del Estado de Morelos. Con sus largos traje sueltos de terciopelo, una capa bordada en la espalda con diferentes motivos a menudo con lentejuelas, y fantásticos tocados adornados con toda clase de pedrería, lentejuela y plumas de avestruz, usan máscaras con grandes cejas, barba puntiaguda y bigotes, que representa evidentemente a un europeo. Cada tarde del carnaval danzan «el Brinco» incansablemente por el pueblo, en un grupo compacto, pero cada danzante por separado, saltando con extraños brincos y posando en cómicas posturas. Con su ritmo alegre y acompasado contagian la alegría a los espectadores que suelen unirse al bullicioso grupo.

II. SEMANA SANTA

En cuanto a la Semana Santa, sus festividades comienzan el Domingo de Ramos, cuando se venden

DANZA DE LOS CATRINES

palmas artísticamente adornadas frente a las iglesias, que son bendecidas por el sacerdote y llevadas más tarde a los hogares.

La culminación de este ciclo tiene lugar el Jueves y Viernes Santo, durante los cuales en ciertos pueblos indígenas todavía se representan sus propias versiones de la Pasión, por lo general en una singular y emocionante mezcla de las creencias prehispánicas y las de la religión actual.

Entre las comunidades indígenas destaca la celebración de la Semana Santa entre los coras, que escenifican una representación llena de antiguos simbolismos, los huicholes y los tarahumaras, los cuales danzan al compás de flautillas y tambores adornados con símbolos solares durante todo el día y al caer la tarde del último día de las fiestas destruyen unos muñecos de zacate que representan a los judas y se enfrentan en lucha sin armas los dos bandos de soldados y fariseos, unos enemigos y otros partidarios de Cristo. Los cristianos pintan sus piernas y rostros de blanco y portan espectaculares tocados de madera y plumas. Tras solemnes saludos, y ateniéndose a estrictas reglas, luchan en parejas tratando de tirar al suelo cada uno a su rival.

Por Jueves y Viernes Santo se vendían (cada vez en menor número desde la prohibición de usar la pólvora) los tradicionales «Judas», representando esqueletos, personajes populares o grotescos demonios hechos de diversos tamaños, en ocasiones que sobrepasan el tamaño natural. Los mayores se llenaban de cohetes para quemarse el Sábado de Gloria, en lo que podemos ver un significado similar a la quema del «Juan Carnaval», una purificación de los pecados por medio del fuego, para renovarse, como lo hace la naturaleza, en el nuevo ciclo.

No hay que olvidar que en el singular concepto religioso del pueblo mexicano, y más cuanto más indígena sea éste, detrás del altar permanece imperturbable el ídolo, como tan acertadamente señalara Anita Brener (*Idols behind the altars*).

III. PEREGRINACIÓN A CHALMA

La actitud de los frailes evangelizadores que hace cuatro siglos hallaron en estas latitudes diferentes pueblos y creencias variadas, y para facilitar la comprensión de la doctrina cristiana se adaptaron a los ritos y tradiciones existentes con las variantes y adaptaciones necesarias para ello, lo hizo posible. Sobre los templos indígenas destruidos elevaron sus capillas, que hasta hoy son las que reciben mayor cantidad de fervientes peregrinos: Guadalupe, Chalma, Los Remedios...

Ciertos festivales religiosos largamente establecidos están hondamente enraizados en las tradiciones paganas y todavía atraen multitudes para visitar a los santos especialmente reverenciados.

Especialmente representativo es el santuario del Señor de Chalma, en el Estado de México, situado en un pequeño pueblo hundido en profundo cañón entre impresionantes picachos y un turbulento río. En la noche el bosque cercano se llena de fogatas de los peregrinos que no alcanzaron a obtener hospedaje en las celdas y claustros del convento.

La última parte del viaje debe hacerse a pie a través de la exuberante vegetación tropical, en forma similar a como la llevaban a cabo hace 300 años los peregrinos aztecas. No lejos del presente santuario hay ofrendas de flores e incienso donde se reverenciara anteriormente a un ídolo de piedra que representaba a Otzocteotl, dios de las Cuevas.

Mientras caminan a lo largo del último sendero, los peregrinos recuerdan seguramente la creencia de que aquel que no esté realmente arrepentido de sus culpas será convertido en piedra y se quedará en ese lugar hasta que sea empujado con el pie por algún otro creyente todo el camino hasta el santuario. Ya cerca, los peregrinos se abren paso entre la multitud que rodea los puestos donde se venden fotografías y estampas de la imagen milagrosa, velas y pequeños objetos de plata que representan cada una de las partes del cuerpo humano y que se ofrendan como testimonio de curaciones obtenidas gracias a la intercesión del Cristo.

Afuera de la iglesia danzantes y músicos compiten con el continuo ruido de la cohetería, que dura hasta buena parte de la noche. En las fiestas más importantes suelen verse hasta 30 ó 40 grupos distintos de danzantes que, sin reparar los unos en los otros, vienen a rendir homenaje al Señor de Chalma, y se reúnen hasta 30.000 peregrinos.

Otra fiesta que coincide con una del antiguo calendario ritual es la de la Santa Cruz, el 3 de mayo, a la que se ha integrado la ceremonia agrícola del árbol mítico de la vida.

VIII.   En plena acción el tigre ataca y vence al toro en la «Danza del Tigre» en Jamiltepec, Mixteca Baja del Estado de Oaxaca. Máscaras talladas en madera por artistas del lugar.

38. El capitán de los «Voladores», tocando la chirimía y el tamborcillo, hace reverencias a los 4 puntos cardinales.

39. Detalle de la instalación de los «Voladores» sobre el palo, en el atrio de la iglesia de Cuetzalan, Puebla.

40. Danza de los «Voladores» al pie del palo con danzantes de Quetzales. Presentación en el Festival de Atlixcayotl. Atlixco, Puebla.

41. Acercamiento de los Voladores en plena ejecución de la danza del capitán sobre el palo.

42. Acercamiento de los Voladores. Cuetzalan, Puebla.
43. Danzante de los «Quetzales» de Cuetzalan, Puebla.
44. Capitán de la Danza de los Voladores de Cuetzalan, Puebla, examinando su chirimía antes de subir al palo.

45. Músico en una danza seri de Punta Chueca, Sonora.

46, 47. Danzantes «Uinaroris». Huicholes. Sierra Madre Occidental. San Andrés Coamiata, Jalisco.

IV. LA BATALLA DEL 5 DE MAYO

La victoria mexicana sobre las fuerzas invasoras francesas el 5 de mayo de 1862 en Puebla da lugar a cívicas celebraciones, desfiles militares tanto en la ciudad de México como en Puebla y pintorescas representaciones populares en el Peñón a las afueras de la capital. Por el escenario improvisado en la plaza del pueblo y el cercano peñón desfilan a partir de las once de la mañana todas las fuerzas que participarán en la batalla en dos bandos, acompañados por la banda de música. El general Zaragoza, líder del ejército mexicano, se viste como elegante charro y monta mgnífico caballo. De la parte posterior de su sombrero cuelga una tela con el letrero «¡Viva México!» bordado en ella.

Los zacapoaxtlas de la Sierra de Puebla están presentes con su líder indígena Lucas. Hay un gran número de chinacos divididos en infantería y caballería; grupos de soldados comunes, vistiendo uniformes de todos los períodos históricos; soldaderas que llevan muñecos representando a sus hijos a la espalda; zuavos franceses vestidos con pantalones y fez rojos o azules, una pequeña chaqueta azul y polainas blancas.

La nota de hilaridad, que rompe la seriedad de la representación, la dan los zacapoaxtlas, a los que se procede a cortar el cabello largo y fingen tener temor de las tijeras, llorando amargamente la pérdida de sus cabelleras.

Tras de embajadas de diplomáticos expresivamente gesticuladas y de que el general Zaragoza rompe furioso la declaración de guerra de los franceses, comienza el simulacro del sitio, con los soldados mexicanos posesionados de la colina y los franceses rodeándola. Tres veces atacan el fuerte, hasta que son finalmente empujados hasta el pueblo en una batalla que dura por espacio de varias horas entre el estruendo de los disparos de rifles y cañones cargados, naturalmente, con pólvora. Hay diálogos gritados de parte a parte hasta la pelea final a caballo y con espada por parte de los generales enemigos Zaragoza y Lorencez y la derrota del francés. Al bajarse la bandera francesa, Zaragoza lee en voz alta el verdadero reporte enviado al presidente Juárez: «Las armas de la República se han cubierto de gloria. Los soldados franceses actuaron con valentía y sus generales desatinadamente». Para terminar la representación se simula enterrar a los muertos en el campo de batalla, usando para ello camillas o ataúdes, conducidos por soldados de ambos bandos.

V. DÍAS DE MUERTOS

Las celebraciones de los Días de Muertos toman en México un cariz muy especial, por el trato tan familiar que el mexicano tiene con la muerte: juega con ella en entierritos de cabeza de garbanzo, de cuyo ataúd surge un alegre cadáver al levantar la tapa; se la comen en calaveras de azúcar que llevan su nombre, o en «pan de muertos» o se regocijan con los tabloides especiales, las «calaveras» en las que con versos satíricos se comentan las supuestas muertes de los personajes más conocidos del país.

Entre la población indígena y campesina mestiza existe la creencia de que los difuntos tienen permiso para visitar a sus seres queridos en este mundo en el día destinado a celebrarlos, para lo cual éstos se disponen a recibirlos dignamente. Las tumbas se adornan con ramos de flores, innumerables cirios y las nubes del copal que se quema en los sahumerios. Se lleva comida y bebida. Los altares que se preparan en las casas, una vez que el difunto se ha llevado el «aroma» de sus viandas favoritas allí colocadas, se «levantan» en compañía de amigos, parientes y vecinos en festiva ceremonia. Los difuntos niños son obsequiados, además de los dulces y comida, con juguetes de azúcar, llamados «alfeñiques», en forma de animales, zapatos, canastas con flores o ánimas con aspecto de pequeños fantasmas que se colocan en los «altares de muerto» junto a los cráneos de azúcar, las figuras de barro, los sahumerios, velas, viandas y adornos de papel de estaño y papel «picado» con temas alusivos.

VI. LA VIRGEN DE GUADALUPE

Las mayores fiestas religiosas del año tienen lugar con motivo de la celebración de la Virgen de Guadalupe el 12 de diciembre, que se conmemora tanto en su santuario de la ciudad de México como en casi todas las iglesias del país. Miles de peregrinos se concentran en esa fecha en las afueras de la basílica. Alrededor de la medianoche los grupos de danzantes indígenas comienzan a actuar, siendo los más numerosos los de Concheros.

VII. «POSADAS»

Y comenzando el ciclo de las festividades navideñas, las «Posadas», novenario de celebraciones que preceden a la Navidad, parecen ser una fiesta cristiana improvisada por los frailes evangelizadores para sustituir a una celebración azteca en honor a Huitzilopochtli en esas mismas fechas.

Recuerdan la búsqueda de alojamiento por la Sagrada Familia en el pueblo de Belén y comienzan el 16 de diciembre para terminar la noche del 24 con la colocación del «Nacimiento», generalmente formado con figuras de barro. Se entonan letanías llenas de poesía, llevando en procesión con velas y farolillos las imágenes de María y José, tras de lo cual se pide posada ante la puerta cerrada, que al principio se niega, y tras varios intentos, con canciones de ambas partes acompañadas con panderetas y corcholatas ensartadas, la puerta se abre y los Santos Peregrinos reciben albergue.

Como fin de fiestas se rompe la tradicional piñata, vasija de barro bellamente decorada con cartón y papeles de china recortados para que tome forma de animal o estrella, conteniendo frutas y dulces. Generalmente la rompen los niños, que pasan uno a uno con los ojos vendados y un palo en las manos, tratando de atinar a la olla que sube y baja sujeta a una cuerda, de la que tiran con fuerza, balanceándola para impedir que la rompan. Cuando por fin se quiebra, deja caer su contenido sobre el suelo, mientras la chiquillería se arroja sobre él en montón.

VIII. «PASTORELAS»

También en la época navideña se representan las llamadas «Pastorelas», principalmente en los Estados de Guanajuato y Michoacán. De origen español, con raíces en el teatro religioso del medioevo las «Pastorelas» son ingenuas representaciones de carácter simbólico, alusivas a la narración del nacimiento de Cristo e influenciadas por el recio arte popular nacional.

Siendo los indígenas mesoamericanos muy afectos a las representaciones, fue muy conveniente para los evangelizadores la introducción de autos sacramentales de Navidad que enseñaran en forma objetiva las ideas religiosas que trataban de inculcarles.

El argumento refiere el viaje de los pastores hacia el portal de Belén, los esfuerzos del diablo y sus huestes infernales para que esto no suceda; la aparición del arcángel San Miguel, que lucha con Lucifer y lo vence, y por fin la adoración de los pastores ante la Virgen, San José y el Niño Dios, representados los dos primeros por pequeños niños. Aparecen también ermitaños que forman parte de la trama, la cual varía según el «libro» que tenga el maestro de la pastorela, pero se atiene básicamente a los mismos rasgos generales. Los pastores son interpretados por rudos campesinos, algunos de los cuales hacen bromas improvisadas sobre algún acontecimiento reciente o alguna persona conocida por todos. Los diablos, con formidables máscaras, lanzan rugidos y discuten con los ángeles largos parlamentos. A la caída de la tarde, una vez que el Mal ha sido vencido, se dispersan jugando travesuras a los transeúntes y seguidos por la chiquillería.

LA DANZA POPULAR

El baile es una parte integral de la fiesta, cualquiera que ésta sea.

En las de los pueblos indígenas seguirá formando parte del ritual con que se honra a la divinidad. En los pueblos mestizos el baile es simplemente un asunto social. La música que predomina en casi todo el país es la de tipo mestizo, puesto que es mestizo el núcleo más fuerte de la población. Sus bailes y música no tienen más propósito que divertir a participantes y espectadores y usualmente están representados por parejas de bailarines o grupos de mujeres.

La mayoría de los pueblos de raíz indígena cuenta con uno o dos grupos de danzantes, que bailan en las fiestas locales, y en caso de no tenerlo, el mayordomo o carguero se encarga de buscarlo en otro pueblo y corre con los gastos del viaje, hospedaje y alimentación.

Solamente en ciertos lugares considerados sagrados los danzantes acuden por su propia iniciativa, aunque sea desde muy lejos.

La elaboración de la indumentaria suele estar a

cargo de los propios danzantes en lo que respecta a los adornos. Algunos atuendos son extremadamente caros, sobre todo aquellos que exigen el uso de plumas.

En muchas de las danzas y cantos indígenas que proceden de lugares poco accesibles, como las de los yaquis, tarahumaras, huicholes, coras, tepehuanos, mazatecos, etc., se conserva el carácter en el ritmo, la melodía, la entonación o la forma de bailar de la época anterior al contacto europeo. En las danzas se han conservado también parte de los atavíos: las pieles de venado, los accesorios espectaculares, los vistosos penachos, las sonajas, los capullos o tenabares en los tobillos, o los espejos, que antes eran de piedra pulida. De los instrumentos se emplean todavía el teponaxtle, diferentes flautas de carrizo y barro y caracoles marinos de distintos tamaños.

La influencia española es evidente en los textos castellanos, en los trajes mestizos, los caballos auténticos o representados, las máscaras barbadas, algunos pasos de los bailes y la casi totalidad de los instrumentos musicales.

A veces, aunque la melodía sea de raíz prehispánica, está interpretada con el instrumento y la técnica europeos. De cualquier manera, la música que pudo conservarse no pertenece a las grandes culturas de la época clásica, sino a las culturas nómadas o de agricultura primitiva que prevalecieron tras el derrumbe de los grandes imperios.

Un hondo sentido mágico religioso trasciende de las danzas interpretadas por la población indígena. El danzante, en este caso, no baila para su diversión o la del público que lo rodea. Sus danzas son como una plegaria para recibir el apoyo de las fuerzas superiores que él considera dominan al mundo; para demostrar devoción y respeto a la divinidad.

Como escribiera Fernando Horcasitas, «danzan al buen Dios».

«"¡Qué curioso!", exclama el turista nacional o extranjero al ver a los danzantes totonacas que murmuran sus plegarias ante la iglesia de Papantla antes de ascender al palo volador. Hacen eco al turista los "catrines" capitalinos. "¡Qué simpático! ¡Qué típico! ¡Qué gracioso!". Pero todos se equivocan. La danza y los trajes que ven no son ni curiosos, ni típicos, ni graciosos para los voladores, que piden con ansias al buen Dios y a los santos — y a veces a las deidades paganas — lluvias en el verano y co-

sechas abundantes en el otoño... Para el indígena, sus danzas y plegarias no son sólo importantes, sino vitales. Son cosas profundas, no curiosidades. Cada movimiento de la danza, cada pluma, cada color, cada ofrenda, tiene su significado religioso y social. Trajes, calaveras, bailes, flores, tocados y ceras, banderitas, palmas, «milagros», música, sonajas, máscaras: todos forman un retrato de la psicología y sentido plástico del pueblo mexicano.» (Fernando Horcasitas, *Lo efímero y eterno del arte popular mexicano.*)

Algunas de las danzas indígenas en que intervienen animales tienen un profundo carácter totémico; otras están relacionadas con el nahualismo. Según el concepto indígena todos los hombres, igual que los dioses, tienen su nahual o doble animal.

Así, pues, algunas de las danzas que hoy se conservan entre la población indígena son modificaciones de los rituales primitivos — algunos representando fuerzas de la naturaleza —, que se ofrecían a los dioses paganos, como aquellas del ciclo del «Tigre» (tlacololeros, tecuanes, etc.), los Voladores, Paxtles, Acatlaxquis, Huahuas, etc.; otras son transcripciones cristianizadas de los ritos de guerra, mezclados con sus similares hispanas: Moros y Cristianos, Santiagos, La Conquista, La Pluma, etc. Otras más se basan en la vida diaria y las funciones de antiguos oficios: los Arrieros, Vaqueros, Tecomates (tejedores), Panaderos, Segadores, etc.

Uno o varios personajes sin aparente relación con la trama suelen tomar parte en las danzas. Son los llamados «campos», que aparecen, con pequeñas variantes en atuendo y funciones, en todas las danzas tradicionales. Los «campos» no concuerdan en su vestimenta con el resto del grupo; sus trajes son viejos y pretenden el ridículo. Usan máscaras, frecuentemente negras, y llevan pequeños fuetes o látigos y en ocasiones algún animalillo disecado, con los cuales persiguen a los niños o jóvenes concurrentes, hablando con voz impostada y aguda. Su función es la de restarle solemnidad al ambiente, para que las cosas no se tomen en serio y prevalezca un clima festivo. Son, pues, los que proveen el humorismo en la fiesta y a veces siguen a alguno de los danzantes imitando sus movimientos en forma grotesca, se persiguen o juegan entre sí o hacen partícipes de sus travesuras a la concurrencia. En algunas ocasiones los «campos» son los que indican el cambio de un paso a otro durante la danza, pero generalmente sus movimientos son libres, no siguiendo un patrón establecido, sino dejándose llevar por la inspiración del momento.

En las danzas populares es elemento imprescindible la máscara. El uso de la máscara en nuestro país tiene hondas raíces tradicionales. En la época precortesiana era parte del ritual y estaba íntimamente vinculado al culto de los muertos. Las máscaras representan ya sea diferentes animales, hombres viejos de cabellos blancos y rostros arrugados, sirven también para que el danzante tome la personalidad del europeo, con su rostro blanco y barbado o bien representan las fuerzas del mal con todos los atributos físicos del demonio. Pero siempre el danzante al ponérsela oculta su rostro, se despoja de su personalidad de todos los días y con ella de sus inhibiciones normales; se identifica con el ser que representa y por espacio de unas horas se pone a vivir frenéticamente la vida de éste.

La máscara es para el danzante, campesino mestizo o habitante de una comunidad indígena, de una gran importancia personal y difícilmente se desprende de ella. Pone su nombre en la parte interior para que no se confunda con otras similares y ya sea que él mismo la haya elaborado y decorado o que lo haya hecho el mascarero del pueblo, la cuida y repara cuando es necesario como parte importantísima de su propio ser.

La supervivencia en las áreas rurales e indígenas mexicanas de danzas que provienen del medioevo europeo, es siempre un motivo de asombro. No podemos menos de admirarnos cuando entre las chozas campesinas surgen a nuestros ojos los reyes moros y cristianos, las damas de largas pelucas rubias, Santiago en su caballo, Roldán, Oliveros, Reinaldo, Fierabrás y Carlomagno con los doce Pares de Francia (que se convierten frecuentemente en 24 danzantes con un sano sentido de la lógica) y se discute, por aquellos cuyas lenguas maternas son el otomí, el zapoteco, el mazahua, el mixteco o el náhuatl, sobre la superioridad de la Virgen sobre las falsas doctrinas de Mahoma.

El día de la fiesta el campesino, retraído y tímido, se transforma. Luce su tocado, la chaquira, las plumas, adornos y cuentas, brillantes telas, su máscara. No importa el sacrificio de tiempo y esfuerzo para aprender los largos parlamentos, o de dinero para adquirir el costoso vestuario. Aunque sólo sea por un día, mientras dura la larga representación, el humilde campesino deja su posición de hombre marginado y se convierte en un príncipe con todo su esplendor.

I. DANZAS RELACIONADAS CON EL CULTO COSMOGÓNICO Y SOLAR

Danza del Palo Volador

En la extensa zona montañosa del Golfo de México y la Sierra de Puebla, grupos de población totonacas, otomíes y nahuas conservan algunos de los rasgos fundamentales que caracterizaron a la que fuera gran ceremonia religiosa del Palo Volador. Esta ceremonia alcanzó su máximo esplendor en la época prehispánica, como parte importante del culto solar y calendárico y se llevaba a cabo en toda el área mesoamericana.

Los voladores, disfrazados de pájaros, águilas, garzas, quetzales y otras aves, después de ejecutar sus danzas propiciatorias al pie del palo, que había sido cortado y plantado también entre diversas ceremonias, subían ágilmente hasta una plataforma colocada en la parte más alta del tronco, despojado ya de sus hojas, y allí bailaba el principal de ellos con maravillosa destreza, inclinándose a los cuatro puntos cardinales, y hacia atrás para saludar al sol al tiempo que tocaba la flauta de carrizo. A una determinada señal los otros cuatro danzantes se arrojaban simultáneamente al espacio con las alas extendidas, atados por una cuerda a la cintura, la cual iba enrollada al tronco de modo que tras dar 13 circunvoluciones alrededor del poste llegaban finalmente a tierra.

Las 13 vueltas de cada danzante sumadas daban por resultado los 52 años del siglo mesoamericano.

A los conquistadores españoles les pasó en un principio inadvertido el significado profundamente religioso de la ceremonia del palo volador, quizá deslumbrados por su aspecto acrobático, y también contribuyó a ello el que los indígenas la disfrazaran de juego para poder conservarla y burlar las pesquisas de los inquisidores cristianos. Sin embargo, el aspecto ritual del supuesto juego no pasó inadvertido por mucho tiempo a juzgar por las palabras

IX. Correr sobre el fuego. Algo que rebasa nuestra imaginación y que ocurre año tras año en el tradicional carnaval chamula, cuando las autoridades, en un acto de «purificación», rematan su festividad el martes de carnaval frente al atrio de la iglesia de San Juan Chamula. Alto Chiapas. Grupo étnico tzotzil.

adornado con plumas para marcar el ritmo y el Monarca una vara emplumada con la que imita los movimientos de la siembra.

Las canacuas

Siguiendo una antigua costumbre purépecha, por la que jóvenes doncellas (guaris) agasajaban a los grandes caciques y huéspedes distinguidos con valiosos presentes, al mismo tiempo que danzaban y cantaban para ellos, hoy vemos que en la región tarasca las «canacuas» (coronas) mantienen el espíritu de aquella tradición.

Las guaris, colocadas en dos filas, una frente a la otra, ofrecen la fiesta. Ataviadas con la «sabanilla» — enagua o enredo de lana negra, roja o azul oscura — hecha de una sola pieza de 5 a 10 m. de larga, sujeta con fajillas tejidas en telar de cintura, formando un tableado en la parte posterior; cubren la parte delantera de la falda con un delantal. En el cuello lucen vistosos collares de «papelillo» de colores o de cuentas de coral, que llaman «rosarios». El pelo, partido en dos trenzas que entretejen con listones de colores. Portando una jícara laqueada o una canasta llena de obsequios — frutas y flores — cubierta por una servilleta bordada, hacen evoluciones cadenciosas, de pasos sencillos pero graciosos, mientras entonan las canacuas. Al terminar, la música inicia un alegre son, a cuyo compás las guaris se dirigen al agasajado y la principal de ellas baila en su honor llevando un «suchil», ramo de hojas de maíz que simboliza la bienvenida.

Todas las guaris obsequian los presentes de sus «xicalpextles» y se hace la «petición», que el agasajado debe cumplir.

Un baile semejante a las canacuas se acostumbra bailar también por las guaris en la región lacustre de Michoacán durante las bodas. Se conoce como las «Igüiris» y en él las doncellas llevan un rebozo palomo sobre el que colocan un sombrero adornado con flores de cempasúchil.

Durante el baile, que consta de los mismos simples pasos cadenciosos, llevan en la mano derecha una naranja con banderitas de papel picado ensartada en un cuchillo, representando así la fuerza y la fertilidad. En la mano izquierda llevan una azucena, símbolo de la pureza.

Danza de las Cintas

La danza de las Cintas, que hoy está extendida por diferentes regiones del país, desde Jalisco, Michoacán y Puebla hasta Yucatán — que en Europa tuvo su origen durante las antiguas épocas en que se rendía pleitesía al Palo de Mayo o Maypole como un rito de la fertilidad —, es tenido por algunos investigadores como danza de influencia europea, aunque muy temprana, y por otros como autóctona, entre los que se cuenta el padre Clavijero. La descripción que de esta danza (llamada entre los mayas chochom) nos dejó Clavijero, diciendo que la había visto bailar a Cortés y sus capitanes en Campeche con las jóvenes que les fueron obsequiadas como esposas, corresponde fielmente a las representaciones que hoy día se pueden ver en casi todo México muy similares entre sí:

«...Plantaban en el suelo un árbol de 15 a 20 pies de alto, en cuya punta suspendían 20 o más cordones (según el número de bailarines) largos y de colores diversos. Cada cual tomaba la extremidad inferior de un cordón y empezaban a bailar al son de los instrumentos, cruzándose con mucha destreza, hasta formar en torno del árbol un tejido con los cordones, observando en la distribución de sus colores cierto dibujo y simetría. Cuando a fuerza de vueltas se habían acortado tanto los cordones que apenas podían sujetarlos, aun alzando mucho los brazos, deshacían el tejido hecho con otras figuras y pasos».

Danza de los Arcos

La danza de los Arcos (Tlaxcala, Estado de México, Hidalgo y Puebla), en la que parejas de hombres vestidos de blanco con paliacates cruzados en el pecho danzan en hilera, cada uno empuñando el extremo de un arco adornado con flores de papel, con los que realizan evoluciones complejas de gran colorido, nos recuerdan las que en la época prehispánica se realizaban en las festividades en honor de Xochipilli, dios de las flores. En éstas ocasiones también los participantes, en dos filas, sostenían cada uno de un extremo las mismas ramas floridas adornadas con papel de colores y danzaban tomados de estos arcos.

DANZA DE LOS ARCOS

Danza de la Urraca

La danza de la Urraca, que también se denomina en ocasiones danza de la Palma, pertenece a la comunidad indígena cora situada en la Sierra Madre Occidental, en el Estado de Nayarit.

Es una danza ritual interpretada por 12 danzantes varones que bailan en parejas y una pequeña niña a la que denominan la «Malinche» de la danza.

Visten los participantes el traje corriente de calzón y camisa de manta blanca o de algún color fuerte la última, salvo que en la espalda caen empalmados en forma diagonal hasta tres grandes paliacates rojos o azules y al frente cuelgan sobre las piernas también diagonalmente uno o dos paliacates que se sujetan a la cintura por un tercero que hace las veces de faja.

En la mano derecha llevan una sonaja de cuastecomate y en la izquierda una especie de palma de madera, en la que sobresalen cuatro tabletillas delgadas del mismo material y que va adornada con flores de papel de vivos y variados colores y espejos. Ambos objetos se hacen sonar rítmicamente.

Pero lo más notable de los danzantes de la Urraca es su tocado, compuesto por una corona de cuyo arillo sobresalen en forma equidistante de dos a cuatro grandes plumas de urraca. Esta corona se adorna también con flores de papel y espejos todo alrededor y por la parte del rostro lleva una red o malla hecha con cuentecillas de chaquira que cubren la cara, mientras en la espalda caen una serie de listones de colores fuertes y variados.

La Malinche lleva una pequeña corona de madera adornada con flores de papel y cubre su espalda con un pañuelo blanco igualmente adornado. Viste vestido blanco, varios collares y calza huaraches. En la mano derecha la palma, que es más pequeña y lleva solamente tres tablillas.

La música, interpretada por un violín rústico y flautas de carrizo, es de ritmos de tipo binario concebida en compases de dos por cuatro, marcadamente indígenas. Consta de diferentes melodías a las que corresponden un número igualmente variado de evoluciones.

Comienza el baile con un paseo de movimientos rítmicos, llevando el brazo extendido para lucir la palma, para recogerlo y estirarlo, mientras la derecha marca el compás de la música con la sonaja.

La música cambia de son y los danzantes, agitando la sonaja e inclinando el cuerpo ligeramente hacia adelante, inician un nuevo paso consistente en pequeñas carreras, saltos, contramarchas, cruzándose ambas hileras en la contramarcha, alternando las parejas, de modo que se tiene la impresión de una gran serpiente que ondula.

Vuelve a cambiar la música y entonces la primera pareja y la Malinche se apartan del grupo, se colocan en el centro y en actitud reverencial parecen ofrecer el baile a la divinidad ante la que lo están ejecutando. Vuelven a ocupar su lugar y continúa la danza.

Se interpreta esta danza en todas las fiestas religiosas (exceptuando el Carnaval y la Semana Santa) o en las tomas de posesión de sus cargos por las nuevas autoridades.

Danza de la Ofrenda o de la Palma

Esta danza se ejecuta en el Estado de Jalisco, al occidente de México, y se le ha atribuido origen huichol, aunque en caso de ser cierta esa suposición, la danza ha evolucionado hacia otras influencias. Generalmente se presenta como parte relevante de las festividades en el santuario de Zapopan, Jalisco, uno de los más importantes del país.

Los danzantes visten camisa y calzón blancos bordados en punto de cruz. Un ceñidor también bordado sujeta la camisa, que llega hasta arriba de la rodilla y tiene mangas amplias y abiertas desde el codo que terminan en puños angostos. Los extremos del ceñidor cuelgan sobre la cadera. Calza huaraches. El tocado es de hojalata adornado con espejos, cuentas de papelillo y vistosos penachos de plumas de colores. Sobre el rostro le caen en ondas concéntricas hilos de chaquira y en la parte de atrás penden del tocado pañuelos de seda y listones que llegan más abajo de la cintura.

En la mano derecha lleva una sonaja de guaje cirial y en la izquierda la «palma» que da nombre a la danza, una palmeta de madera adornada con plumas en forma de abanico, que mueven al ritmo de la música.

Por bailarse ante la imagen de los santos para hacerles peticiones o agradecer las ya concedidas, se la conoce también con el nombre de la Ofrenda.

Su ejecución se divide en nueve partes con otros

DANZA DE LA OFRENDA O DE LA PALMA

tantos nombres: ¿Dónde estás?, El Danzón, Los Perejiles, La Huajandra, El Adiós, La Cruz, La Víbora, San Pedro y La Trenza.

Algunas de ellas, como La Cruz, La Víbora o La Trenza, marcan cierta relación con la danza de los Sonajeros del mismo Estado de Jalisco, pero otras son más recientes y pertenecen a épocas en que ya se habían formado los sones regionales mestizos. Todo lo cual nos muestra cómo las danzas siguen evolucionando.

Los Maromeros o Dan Mariteca

Otra de las danzas interpretadas por los coras que procede de tiempos muy antiguos es la de los Maromeros. Consta de 50 sones tocados en flauta y tamborcillo por un solo músico. Generalmente toman parte en ella seis parejas de danzantes, con sombreros de falda ancha, de cuya copa sujetan varios listones de colores, los que se extienden en forma radial, colgando por el borde de la falda y sobre ellos se prenden flores de colores. Grandes paliacates rojos o azules les cruzan el pecho en forma de cananas. El Capitán de la danza lleva una sonaja consistente en un madero semiplano de unos 40 a 50 cm. de largo por 6 a 8 de ancho, en cuya parte media se angosta, sirviendo de empuñadura; cerca de los dos extremos se hacen incisiones en las que se colocan laminillas metálicas circulares, cuya fricción produce el sonido requerido al moverla rítmicamente. Esta sonaja la va pasando a los demás danzantes, siguiendo las evoluciones del baile.

Uinaroris huicholes

En cada una de las cinco comunidades huicholes, con ocasión de sus festividades civiles o religiosas (el cambio de varas o de gobierno, la Semana Santa, la fiesta «de los primeros frutos», la «fiesta del peyote», etc.), se reúnen en los centros ceremoniales grandes multitudes que por días caminan por la sierra desde sus lugares de asentamiento y aunque las diferentes celebraciones se desarrollan de manera distinta, en todas ellas intervienen los danzantes llamados «uinaroris». En grupos de cuatro bajo el mando de un capitán que dirige las evoluciones, bai-

lan inclinando el cuerpo hacia adelante, dando vueltas al compás de sonajas, violines y guitarras y los gritos de los asistentes, acompañándose con fuertes golpes de los pies, con objeto de que «los oigan en las moradas subterráneas». Sobre sus ricos vestidos bordados llevan coronas con largas plumas de urraca al frente, en cuyo extremo suelen pegar una flor blanca.

Las «tenanches» (servidoras del templo) los sahúman con sus incensarios de barro y toman abundante sotol que los martomas (mayordomos de los santos) les ofrecen en los descansos.

Danza de los Paxtles

Una de las pocas danzas de origen prehispánico que no han sufrido influencias es la de los Paxtles, Paixtles o Paistes, que, desgraciadamente, tiende a desaparecer, aunque todavía puede verse en algunas partes del Estado de Jalisco como Ciudad Guzmán, la región de Tuxpan, San Andrés Ixtlán o Tonila.

En esta danza, «contraparte de la de los Viejitos», según Lumholtz, se supone que se representa a la diosa huichola Nacahué, la «mujer más vieja del mundo», madre de los dioses y de la vegetación.

Los ejecutantes se cubren el cuerpo con cierta planta parásita que cuelga de los ahuehuetes y que en México se llama heno. Adornan su cabeza con manojos de cintas de colores y un pequeño sombrero que tiene en el centro un espejo. Cubren su rostro con pequeñas máscaras de cartón o madera y un pañuelo les tapa la cabeza, el cuello y la parte alta de la máscara.

En la mano derecha llevan una sonaja de bule, mientras en la izquierda empuñan un bastón de otate, cuyo puño representa una cabeza de venado (igual al bastón con que siempre se representa a Nacahué), a la que atan cordeles que suenan al golpear el bastón en el suelo al ritmo de la danza.

Para bailar se alinean en dos filas y empiezan sonando sus bastones de cascabeles, lanzando gritos y alaridos terribles; después, al compás de la música monótona de los violines y un teponaxtle, marcan el ritmo con saltos y golpes de pies, dan vueltas a izquierda y derecha, formando una fila y volviendo a colocarse en dos. Los embarazosos trajes no les permiten interpretar más que los pasos más simples, lo que da un aire de gran dignidad a sus movimientos, de marcado primitivismo. De cuando en cuando llevan la mano izquierda a la boca para lanzar gritos que detrás de las máscaras parecen provenir de un misterioso animal o ser sobrenatural.

III. DANZAS RELACIONADAS CON EL ANTIGUO CULTO A HUEHUETEOTL, EL DIOS VIEJO DEL FUEGO

Danza de los Viejitos

En muchas partes del país se ejecutan bailes de Huehues, Huehuenches y otras modalidades que derivan de las que antiguamente se dedicaban al dios viejo Huehueteotl, numen del fuego y del año. De éstas la más conocida es la de los Viejitos del grupo tarasco o purépecha que ocupa la región lacustre de Michoacán, con centro en el lago de Pátzcuaro y la de la Sierra alrededor de la ciudad de Uruapan. En lengua purépecha se denomina Taré-Uaráriecha.

En esta danza, de evidente y fino sentido humorístico, los ejecutantes, ataviados con el traje peculiar del campesino de esta zona, parte baja de los calzones de manta blanca finamente bordada, llevan unas máscaras de pasta de caña de maíz, madera o barro con las facciones de sonrientes ancianos desdentados, pero con el color rozagante y sonrosado de la juventud.

Al bailar, sus movimientos de viejos encorvados y achacosos se convierten de pronto en alarde de vigor y agilidad, en estruendosos zapateados, que contrastan más tarde con accesos de fingida tos, temblores seniles que provocan caídas y los jocosos intentos de los compañeros para revivir al accidentado.

De origen netamente prehispánico, la danza es ya mencionada por Fray Diego Durán en su *Historia de las Indias de la Nueva España:* «...Otro baile había de viejitos que con máscara de viejos corcovados se bailaba que no es poco gracioso y donoso y de mucha risa...».

En la versión de la isla de Jarácuaro, en el lago de Pátzcuaro, la danza consta de cinco partes: la Entrada o Saludo (Inchápicua), la Flor del Lago (Tzítziqui japúndaro anapu), el Brincado (Tzanguápicua), las Olas de la Laguna y el Trenecito o Despedida.

Los Viejitos de Charapan

Una versión distinta de la Danza de los Viejitos es la que se interpreta en la población de Charapan, situada en la sierra de Uruapan, Michoacán.

Conservando la misma caracterización en vestido, bastón y máscaras, aunque sustituye el sombrero por una peluca de ixtle adornada sobre el frente de la cabeza con lazos de cintas multicolores que caen a los lados, esta danza ha perdido su significado prehispánico. Narra la historia que al nacer Cristo y llegar de todas partes del mundo los fieles a adorarlo con ricos presentes, los viejos del lugar, no teniendo nada que darle, idearon ofrecerle toda la riqueza de su larga vida expresada en una danza. Así entraron danzando a la presencia del Niño Dios, quien, complacido, les dedicó una sonrisa. Una de las mujeres que estaban presentes, conmovida por la alegría del Niño, se lanzó a bailar con ellos y se convirtió así en la Maringuía de la danza que siempre los acompaña. Cada 25 de diciembre ejecutan este baile un número libre de viejitos y una Maringuía, que, como caso excepcional, es interpretada por una mujer con el traje típico de «guare» de la región.

IV. DANZAS CON CARÁCTER TOTÉMICO O RELACIONADAS CON EL NAHUALISMO

El Venado y los Pascolas

Entre las danzas de carácter totémico debemos mencionar en primer lugar las del Venado y los Pascolas que interpretan los miembros de las comunidades yaqui y mayo en los Estados de Sonora y Sinaloa, respectivamente.

Se trata de una danza ritual, la más conocida y de rasgos más puros de las muchas que persisten en las que el personaje principal o secundario es un animal.

Los intérpretes del Venado son escogidos desde niños por sus padres y ofrecidos a la comunidad, para cumplir con ello una promesa o «manda». Por esta causa, durante toda su vida actuarán como venados y se conservarán ágiles y esbeltos como el animal que representan, presentándose siempre en su carácter digno y solemne.

Aunque se interpretan estas danzas en todas las

fiestas religiosas de la comunidad, adquieren mucha mayor relevancia durante la celebración de la Semana Santa, organizada por las Cofradías y vigilada por Fariserom (Fariseos) y Paskome (Fiesteros).

La indumentaria del Venado consiste en un calzón o pantalón largo sobre el que se coloca un rebozo que les cubre por el frente y la espalda hasta las rodillas y se sujeta a la cintura con una faja y un grueso cinturón de cuero del que penden pezuñas de venado.

Sujetos alrededor de las pantorrillas, desde los tobillos a media pierna, se enrolla hilos de «tenábaris» — capullos secos de mariposa —, que producen un peculiar sonido a cada movimiento de sus pies descalzos, marcando el ritmo de la danza junto a las dos sonajas de bule que lleva en las manos.

Los yaquis van con el torso desnudo, pero los mayos lo cubren con una camiseta de manga larga.

En el cuello llevan un «rosario» hecho de triángulos de concha nácar o collares de chaquira.

Lo más característico del danzante, que le da el toque de identificación con el animal que representa, es el tocado. Se cubre la cabeza con un paliacate rojo bien amarrado hasta casi tapar los ojos y sobre él la cabeza disecada de un venado de ojos relucientes, adornada con cintas de color y una flor de papel.

Los Pascolas visten un sarape gris o café liado a la cintura con una faja y amarrado con cordones negros, de modo que aparenta la forma de pantalones de montar. De un cinturón de cuero en la cintura cuelgan ocho cascabeles de metal, que junto a las sartas de «tenábaris» que cubren también sus pantorrillas y una sonaja de círculos de bronce entre dos tiras de madera que suenan al hacerla chocar, acompañan vigorosamente el ritmo de la danza.

Como el venado, lleva el torso descubierto en el caso de los yaquis y con una camiseta de manga larga en el de los mayos. Se adorna también con un «rosario» de triángulos de concha nácar o con collares de chaquira.

La cabeza va descubierta y lleva un mechón de cabello en la coronilla sujeto con una cinta de color a la que llaman «vela», en la que amarran a veces una flor de papel.

Una pequeña máscara de madera pintada en blanco y negro, con barba, bigote y cejas de ixtle, les cubre la cara cuando bailan simultáneamente con el Venado y es colocada sobre una oreja hacia atrás cuando lo hacen solos. En el cuello se amarran un paliacate con el que se tapan media cara cuando la máscara no la cubre.

Los músicos que acompañan a ambas danzas visten la indumentaria característica de los campesinos norteños.

Aunque se trata de dos danzas diferentes, se bailan siempre juntas y se integran en algunas partes, mientras en otras se desarrollan cada una en forma independiente y alternada. Las melodías de ambas no se interfieren, ya que tanto los Pascolas como el Venado danzan cerca de sus músicos, ocupando cada grupo un área determinada.

Comienza la danza con una música que toca la flauta de carrizo y un tambor de doble parche simultáneamente, primero con un ritmo incierto y vacilante, con más firmeza y regularidad después. Entonces irrumpe el baile brioso de los Pascolas con la sonaja en la mano, mientras el danzante del Venado se coloca la cabeza del animal y espera la entrada de sus instrumentos: el tambor de agua — formado por una jícara semiesférica colocada boca abajo sobre una olla con agua, semienterrada, que se golpea con una baqueta de madera — y dos raspadores de madera sobre jícaras invertidas más pequeñas que sirven de resonador.

Cuando esto sucede bailan simultáneamente Venado y Pascolas, los cuales refuerzan sus músicos con un tocador de flauta de carrizo y el tambor mediado de doble parche, ya que cuando bailen solos lo harán al ritmo vivo de un arpa y dos violines.

Se retiran los Pascolas y continúa el Venado, a cuya danza se agrega el canto interpretado por los mismos músicos, en lengua nativa. La letra de las canciones tienen rasgos poéticos: «...Viene la luz del día y puedo distinguir los objetos a mi alrededor...», «...Ahora el sol está alto y las aves disfrutan la luz yendo de un lado a otro...», «...Entre los arbustos juega el venado...», «...En verano llegan las lluvias y el pasto crece, entonces tiene el venado sus nuevos cuernos...».

Las actitudes del danzante, que no siguen pasos preconcebidos, sino libremente la inspiración del momento, imitan los nerviosos o sosegados movimientos del animal, cuando está vigilante, tenso, asustado, observando, huyendo, tranquilo, tomando agua, etc., con pasos marcados, zapateados, deslizados, brincados, repiqueteados y raspados, que hacen sonar a cada movimiento los «tenábaris», las pezuñas y las sonajas.

Tras esta intervención se dirigen los danzantes a una enramada — construcción provisional de troncos y ramas —, donde los Pascolas — tres generalmente —, con la máscara hacia atrás y la sonaja metida en la faja, bailan uno tras otro, sueltos y bromistas, entrando en competencia de habilidad en los intrincados pasos marcados, zapateados y deslizados, y jugando con el público y entre ellos mismos en divertidas y mordaces improvisaciones. Quizás este carácter burlón es lo que hace que a los Pascolas les esté prohibido bailar en la iglesia, como lo suelen hacer, entre los mismos yaquis, los Matachines.

Al terminar el son del arpa y los violines, vuelven a prepararse los músicos de flauta y tambor y el Venado, que había permanecido sin abandonar su actitud solemne, observando la danza de los Pascolas, coloca de nuevo la cabeza del animal sobre la suya — nunca la lleva puesta más que al momento de intervenir en la danza, lo que reafirma su carácter mágico y ritual —, y se vuelve a repetir la danza que antes se interpretó en el atrio.

Esta danza tiene variantes según sea realizada por los mayos, los yaquis o los yumas de Arizona. En general, las versiones de los mayos han perdido fuerza en relación con las de los yaquis. El danzante mayo del Venado no tiene la misma brillantez y agilidad en el zapateado, ni en los movimientos nerviosos y precisos que indican el carácter del animal, que su compañero el Venado yaqui. La costumbre de arrojarle el público dinero, al tiempo que interpreta su danza, además de despojarla de su carácter ritual totémico, distrae al bailarín, que se dedica a recoger las monedas con los dedos de los pies sin perder el ritmo, pero rompiendo la continuidad en la trama.

Los Pascolas mayos están también más interesados en el virtuosismo de su zapateado que en el significado tradicional de la danza, claro indicio que está perdiendo entre ellos su profundo valor.

La muerte del venado que se escenifica con frecuencia en las adaptaciones teatrales de esta danza no pertenece en realidad a la misma, sino a uno de los sones de la Danza de los Coyotes, que ya casi no se interpreta entre las comunidades indígena. Conocida también como «Juego del Venado y los Coyotes», se ha visto en ella una representación de la eterna lucha entre el bien y el mal. En algunas versiones muere el venado, en otras el coyote, o uno de ellos quedando el otro malherido al huir, lo que significaría la persistencia del mal a pesar del ocasional triunfo del bien.

Los coyotes tienen en cierto modo el carácter de los Pascolas, con su danza movida en la que se atacan jugando con buen humor y extraordinaria agilidad. El venado conserva su mismo carácter de dignidad y nobleza.

Una versión «Juego del Venado y los Coyotes» la describe en estilo pintoresco el investigador Gabriel Saldívar *(Historia de la música en México),* en el año de 1934:

«...Este personaje (el venado) camina en todas direcciones, se inclina en actitud de beber agua, se levanta altivo y vuelve a correr como anteriormente; de pronto parece escuchar algún ruido y se intimida, pues cree adivinar la cercanía del coyote, su mortal enemigo; toda la concurrencia hace un profundo silencio hasta que se oye el aullar de éste, imitado con gran propiedad por otro de los danzantes; entonces el venado corre a ocultarse tras un árbol. Este momento está lleno de ingenuidad, acaso trivial, acaso lleno de inocencia. El árbol es un hombre que se ha puesto de pie y que, orgulloso, sostiene un palo en las manos; terminando su papel, pasado aquel momento, va a sentarse entre los espectadores, ufano de haber cumplido con su cometido. En seguida entran dos coyotes, representados por dos danzantes, quienes olfatean en todas direcciones, siendo éste el momento jocoso de la danza, pues con cabriolas, tropezones y malos modos se hacen travesuras el uno al otro, motivando la risa entre la muchedumbre que los contempla. De pronto se dirigen hacia el árbol y es entonces cuando descubren al venado y se inicia la danza de los tres; extraña semejanza con el infantilismo del teatro chino.

»El venado trata de escapar y los otros de hacerlo su presa, logrando el venado herir a uno de sus enemigos, quien rueda por el suelo agonizante. Nótase entonces entre los espectadores un suspiro de satisfacción, de emoción por el triunfo del venado.

»El coyote muere, pero poco después se levanta convertido en cazador, mientras su compañero y el venado se revuelven en furiosa lucha. De pronto saca el arco y hace actitud de lanzar una flecha, matando al coyote y finalmente muere el venado, ca-

X.   En plena festividad de carnaval indígena, los habitantes escogidos toman sus papeles para interpretar «Los Lacandones», ataviados de heno y pieles de saraguate o mono. Esto sucede en Bachajón, en el grupo de los tzeltales en el Alto Chiapas.

XI. En este mismo carnaval de Bachajón se encuentra la «maringuilla» (danzante vestido de mujer en tradicional y peculiar interpretación).

98. Participantes en la fiesta de Carnaval de Mitontic, Alto Chiapas.
99. El santo patrón en andas por las calles de San Pedro Chenalhó, Alto Chiapas.
100. Fiesta de Carnaval en Mitontic, Alto Chiapas.

101, 102.   La Semana Santa y la Cuaresma se desarrollan con diferentes aspectos tradicionalmente religiosos en todos los pueblos indígenas del país.

103. La carrera del pavo, remate de la fiesta de Carnaval en Mitontic, Chiapas.

XII. Es frecuente en nuestro país que los habitantes del medio rural cubran sus bronceados rostros con máscaras talladas por ellos mismos para interpretar sis danzas tradicionales, como este campesino tarasco de Jarácuaro, Michoacán, en su conocida danza de «Los viejitos».

XIII. En las danzas tradicionales es frecuente admirar no sólo la composición musical y los pasos del baile, sino también la indumentaria de las mujeres tepehuas y totonacas que bailan en el Estado de Puebla.

yendo el cazador a la vez que aquél. A un tiempo se levantan, fuertes, sudorosos y jadeantes, pero contentos de haber cumplido con la misión que les impone su ritual».

Pascola seri

En los últimos años los seris, situados en la costa desértica de Sonora, frente a la Península de Baja California, solamente bailan una danza a la que llaman Pascola. Este baile se realiza por una sola persona sobre una tabla o entarimado que se coloca sobre un hueco hecho en la arena para que el ritmo del zapateado resuene con más fuerza. La Pascola se baila con el acompañamiento de otro que canta y toca una sonaja. El bailador ejecuta un zapateado, algunas veces altamente sincopado, mientras se apoya en un palo que lleva en la mano derecha; la otra mano cuelga suelta y permanece casi inmóvil.

Cuando la Pascola se realiza por diversión se hace una colecta entre los presentes para pagar al cantante y el bailarín. Muy pocos hombres son considerados como buenos cantadores de Pascola, aunque todos saben bailarla.

Hace poco tiempo (unos 40 años) se bailaba también una versión seri del Venado, que junto con la Pascola se dice que son canciones yaquis enseñadas a ellos por su jefe Coyote Iguana.

Otros bailes que eran de origen seri y se han ido perdiendo son el anwtitoixkóila, que era un baile de ronda interpretado por las mujeres y el sixkoxóila, un baile de ronda ejecutado por los hombres.

Danzas del Rutúburi y el Yúmare

Las principales danzas rituales tarahumaras, que se escenifican en las fiestas religiosas después del sacrificio de animales son el Rutúburi (Dutúburi o Tutúburi) y el Yúmare, que se lleva a cabo al finalizar el festejo.

Los tarahumaras afirman, según lo informara ya Lumholtz a fines del siglo pasado, que el Rutúburi se los enseñó a bailar el guajolote y el Yúmare por el venado.

El Rutúburi se baila frente a las tres cruces que presiden toda ceremonia tarahumara, y que a pesar

de tener la apariencia de las cristianas representan los cuatro puntos cardinales con sus brazos, uno de los cuales une también el inframundo con el cielo, y a ellos (el sol, la luna y la estrella de la tarde) se hace la ofrenda de alimentos y copal, lanzados a las cuatro direcciones del mundo.

Alineados los danzantes con el frente hacia occidente y las cruces, sacuden en alto sus sonajas de guaje unos cuantos minutos, como saludo a los dioses. Inician a continuación el baile, sacudiendo las sonajas de arriba a abajo y dando saltos hasta llegar a una distancia igual pero al otro lado de las cruces; regresándose después les dan una vuelta dirigidos por el sawéame, que marca los cambios de ritmo y evoluciones hasta formarse los hombres a su izquierda y las mujeres a su derecha. Con los brazos cruzados escuchan entonces al sawéame interpretar los cantos del Rutúburi, envuelto en una frazada de la que sólo sale su brazo que empuña la sonaja. Canta con palabras ininteligibles, que se afirma son secretas.

Los hombres, vestidos con su atabátzaca o taparrabo, camisas de mangas largas y fruncidas en fuertes colores o blancas; las piernas, poderosas y ágiles, desnudas, caminan hacia atrás y hacia delante siguiendo al sawéame; las mujeres, con sus enaguas fruncidas de manta blanca o floreada blusa holgada que llega a la cintura, y la «collera» rodeando la frente y sujetando el pelo negrísimo y suelto, siguen una marcada coreografía en la danza.

Al final de la fiesta se realiza el Yúmare con la participación de todos, cuyos movimientos son una evolución del Rutúburi, pues en él cruzan varias veces el patio, de la orilla al centro en ida y regreso, siguiendo la dirección de cada uno de los cuatro puntos cardinales en cada ocasión. Cuando la danza va formando círculo, las mujeres se mueven con el sol.

Los cantos del Yúmare dicen que el grillo quiere bailar, que la rana quiere bailar y brincar, que la garza azul quiere pescar, que la lechuza está bailando lo mismo que la tórtola, y la zorra gris aullando. Pero es característico de estas canciones, igual que de las del Rutúburi que se canten murmurándolas entre dientes, de modo que no pueden comprenderse.

Mientras que en el Rutúburi todos guardaban gran respeto, en el Yúmare ya están embriagados con tesgüino al bailar y cantar. Ambas danzas se dedican al sol y la luna, la primera para llamarlos y la segunda para despedirlos.

Los tarahumaras bailan también las danzas de Pascoleros y Matachines. La primera es bailada generalmente por una pareja, vestida con un taparrabo, una corona de plumas en la cabeza y el cuerpo y el rostro pintados con blanco, rojo y negro en rayas verticales y circulares. El acompañamiento se hace con violín y guitarra de los que ellos fabrican, y la coreografía incluye posturas y movimientos eróticos.

Los Matachines, danza de posterior introducción, aunque adaptada a sus propios ritos y costumbres, la veremos al tratar de este baile en general, que en sus distintas versiones está tan extendido por diferentes zonas del país.

Danza de la Serpiente

El Jueves de Corpus Christi, en que se conmemora en San Mateo del Mar (poblado huave del Istmo de Tehuantepec) la fiesta de su santo patrón, se interpreta la danza de la Serpiente.

Su argumento tiene que ver con las antiguas creencias de este grupo étnico, según las cuales cada persona tiene dos naturalezas, una como ser humano y la otra de otro ser, que puede ser un animal o un fenómeno de la naturaleza. Según la leyenda, hace muchos años, un hombre del pueblo tenía la doble naturaleza del hombre y de la encarnación del rayo (el Pastor o Flechador), por lo que su misión principal era la de vigilar y proteger a su comunidad. Protegerla de las tormentas de agua, que eran su mayor enemigo.

La misma leyenda cuenta que en un cerro cercano existía una gran serpiente de agua, que una vez logró salir, abriendo un gran boquete en el cerro (que todavía existe) y trató de llegar al mar para formar con sus aguas un diluvio que destruyera el pueblo. Pero a ella se enfrentó el Pastor o Flechador y la venció, impidiendo el desastre.

De allí se originó esta danza en la que la Serpiente representa al mal y el Flechador es el bien.

La danza está integrada, además de estos dos personajes, por seis danzantes y la música la tocan una flauta de carrizo y cera y dos tambores.

Los seis danzantes llevan el traje de la región (cal-zón y cotón huave), pies descalzos, un pañuelo en la cabeza y otro en la mano izquierda; en la derecha una lanza de unos 30 cm. adornada con estambres de colores; en la espalda una manta blanca bordada con flecos de colores doblada en triángulo.

El danzante que representa a la serpiente lleva pantalón corto debajo de la rodilla, hecho de manta, igual que la camisa, una máscara de madera con cabellera blanca hasta los hombros y un pañuelo atado en la frente bajo el sombrero. En la mano derecha un machete y en la izquierda una piedra de afilar amarrada con un hilo. Los pies descalzos y pintados de blanco hasta las rodillas. En la parte de atrás de la cintura lleva atada una serpiente de madera a la que le cuelga una lengua de listón rojo.

El Flechador o Pastor viste pantalón y camisa negros, una máscara de madera y un pañuelo atado en la frente. Toma con ambas manos una flecha adornada (símbolo del rayo) y en la mano derecha una cuarta de algodón colgada. Va descalzo.

Al terminar la danza la Serpiente se arrastra y entonces el Flechador pone su sombrero en la flecha y lo lleva en alto en señal de victoria.

Durante la danza se llevan a cabo parlamentos en castellano, pero hablado en forma ininteligible.

Siempre es bailada frente a la iglesia y el día de Corpus, que es antes de que caigan las lluvias, porque se tiene la creencia de que de esta forma las lluvias les serán benéficas, y en caso de no bailarla antes del comienzo de la temporada de lluvias podría ocurrir el diluvio con el que la Serpiente les había amenazado a sus antepasados.

Danza de la Culebra

Otra antigua leyenda es la base de esta danza que se escenifica en el Estado de Tlaxcala. Según ésta, en tiempos anteriores a la llegada de los españoles, una bella mujer que tenía como nahual a la culebra llamada chirrionera, ganó con su conducta la furia de un «Tlacotecálotl» (divinidad), que queriendo librar al pueblo de las calamidades que la conducta de la mujer provocaba la hizo desaparecer, quedando en su lugar solamente su nahual. Desde entonces la chirrionera, inspirada por el afán de venganza de quien compartía con ella su espíritu, atormentaba con saña a los habitantes de la región. Para alejar a los malos

DANZA DE LA CULEBRA

espíritus los jóvenes idearon danzar en las afueras del pueblo imitando el golpe de la culebra sobre sus cuerpos, para lo cual utilizan largos y macizos chicotes.

El traje que usan los danzantes no tiene ninguna relación con el argumento motivador de la danza, pues adoptaron prendas de tipo europeo de épocas pasadas. Chaqueta y pantalón corto negros con bordados y flecos, un mantón de manila con flores multicolores bordadas que cae a su espalda sobre el sombrero y encima un gran penacho de plumas de avestruz; botas hasta las rodillas simuladas con pieles curtidas enrolladas en las piernas y máscaras finamente labradas con ojos azules y facciones europeas. En la mano un chirrión que simboliza a la culebra.

Cada pueblo tiene su grupo de danzantes que son invitados a bailar, no sólo en las plazas, sino hasta en los patios de las casas, para estar seguros de ahuyentar al «mal» representado por el nahual. Unos danzantes lanzan a otros sus chirriones que culebrean tratando de enredarse en los pies y descargan golpes que los danzantes tratan de esquivar ágilmente. Al no lograr su intento, la culebra desahoga su furia atronando el aire con su chirrión.

Los danzantes van también culebreando y emitiendo un grito especial para amedrentar al compañero que lo ataca con su chirrión e infundirse valor. Se trata, pues, de una especie de exorcismo dancístico.

Danza de la Tortuga, los Pescados y los Chivos

En el Estado de Guerrero se acostumbra ejecutar varias danzas relacionadas con el carácter totémico a que nos estamos refiriendo, algunas de las cuales implican también ritos de la fertilidad.

En la Danza de la Tortuga un hombre maniobra —dentro de un enorme caparazón de tortuga construido con carrizo y tela pintada— la cabeza del reptil, que se asoma y oculta alternativamente. A su alrededor bailan los «pescadores» con sus redes y algunos hombres vestidos de mujer. Se trata de una danza nocturna de fertilidad.

En la Danza de los Pescados intervienen varios danzantes que llevan redes y pequeños peces de madera ensartados y colgados al hombro, y el Lagarto, formado por una armazón de madera en la que se mete un hombre, el cual acciona el hocico para abrir-

lo y cerrarlo. Con la cola de alambre y púas trata de golpear a los danzantes, dando para ello rápidas vueltas.

La Danza de los Chivos se baila con la música que produce una quijada de burro raspando los dientes con una varilla, una caja de madera cuya tapa se golpea rítmicamente y una guitarra.

Los danzantes visten delantal hasta la rodilla encima de los pantalones y máscaras de madera pintadas de rojo con cuernos de venado adornados con cintas y flores de papel. Una maringuilla luce su máscara de delicadas facciones y su traje femenino. Otro de los danzantes representa a la cabra.

Danza de los Tejoneros o Danza de los Huehues

Entre los pueblos de la sierra veracruzana y poblana se acostumbra interpretar la Danza de los Tejoneros, que en la región totonaca se conoce como Danza de los Huehues.

Participan en ella doce danzantes enmascarados, la mitad de ellos vestidos de mujeres que bailan afuera de un círculo formado por una manta puesta en estacas. Dentro del círculo se pone un tarro de unos 15 m. de alto forrado con hojas de papatla, que tiene una combinación de cuerdas para hacer ascender un pájaro de madera accionado por uno de los danzantes al pie del tarro, que es el único que baila dentro del círculo. Los Huehues bailan fuera y en un momento de la danza el pájaro de madera empieza a subir tumbando la papatla con sus simulados picotazos. A llegar a la punta sigue picoteando a un calabazo, que al romperse deja caer el confetti y hace desplegarse a las banderolas que tiene adentro. Desciende el pájaro y aparece un tejón disecado que el manipulador hace subir al tarro, pero se detiene a la mitad y aparecen dos niños que figuran los perros acompañados de dos Huehues con escopetas. Los perros ladran al tejón, los escopeteros le disparan y los perros empiezan a buscarlo olfateando por el suelo.

Danza del Zacomson

En la Huasteca Potosina se interpreta esta danza, de la que se asegura es de origen prehispánico.

111, 112. Detalle de tocados y máscaras en la danza de Los Chinelos, Estado de México.
113. Músicos que en la puerta de la iglesia en Huistán, Chiapas, acompañan con sus ritmos la celebración del Carnaval.

114, 115.   La danza tradicional tarasca de Los Viejitos. Zona lacustre de Michoacán.
116.   Grupo de danzantes chinelos del Estado de México, muy similares a los del Estado de Morelos.

117.   Vigoroso campesino michoacano representando a un «Viejito». Cherapan.

LOS TECUANES

DANZA DE LOS TEPEJUANES

Los danzantes imitan en ella los movimientos de los animales en una gran variedad de sones tales como: El Zopilote, La Mosca, El Toro, Espuelas de Gallo, El Gallo, La Tijerilla, La Chuparrosa, El Camarón, El Pato, El Tejón, El Chapulín o La Ardilla y varios más.

La música está interpretada por un arpa de madera de cedro que remata en una cabeza de animal, con 29 cuerdas de tripa de tejón, y dos violincitos (rabeles), también de cedro, con tres cuerdas de tripas de mapache o tejón. Los rabeles rematan en una cabecita de cotorra.

Los danzantes llevan su vestido ordinario de manta blanca con un pañuelo amarrado al cuello y otro en la cabeza. Van descalzos y en la mano derecha portan un «chichín» (sonaja) adornado con plumas de colores.

El que dirige la danza, da las señales con el llamado «culzitle», un palo cubierto de plumas que representa un ramo de flores.

Algunos de los sones, que son más de 75, se interpretan por la mañana, otros continúan por la tarde, y los últimos se danzan ya al amanecer.

Danza de las Varitas

También en la Huasteca Potosina encontramos la Danza de las Varitas y otra muy parecida, la de Huaxompiates, en las que los danzantes imitan los movimientos y actitudes de diferentes animales en forma muy variada.

La ejecutan los hombres colocados en fila, formando círculos, dando vueltas individual y colectivamente, al compás de un son huasteco o bien con el acompañamiento de una flauta de carrizo o un rústico violín y el tintineo de los cascabeles que los danzantes llevan en las piernas de los pantalones, las mangas de la camisa y las puntas de dos bandas que cruzan el pecho. Como tocado usan un gorro cónico de papel negro con franjas blancas, rematado con un penacho en forma de abanico.

En la mano derecha llevan un puñal o cuchillo de madera con listones de colores en el mango y la hoja decorada.

En la mano izquierda una vara forrada de papel de colores brillantes y con adornos de plumas o listones también de colores.

Los nombres de los sones corresponden a los animales que represetan: El Tejón, El Tlacuache, El Murciélago, La Mariposa, etc.

Danza de las Palomas

En Pinotepa de Don Luis, Mixteca Baja oaxaqueña, bailan la Danza de las Palomas en la que intervienen 50 o más danzantes vestidos con los trajes de boda de sus esposas. Curiosamente las mujeres nunca usan el huipil colocado en el cuerpo con los brazos metidos por las aberturas de las mangas, sino cuando van a ser enterradas con él, sin embargo, lo usan sus esposos para interpretar esta danza. El vestido consiste en un pozahuanco o falda de enredo de hiladillo y caracol, faja y huipil tejido en telar de cintura. Llevan los pies descalzos y en la cara dos paliacates rojos en forma de pico.

Semejando a las palomas, en esta danza va un «tejorón» vestido con traje y zapatos viejos, medias largas color café y máscara de madera, con un gorro en forma de cono en la cabeza hecho de plumas de gallo. Éste les ofrece comida a las palomas con un sombrero lleno de maíz y bailan el «Son de las Palomas» tocado por los músicos con caja de madera, violín y guitarra.

CICLO DE DANZAS DEL TIGRE

Siguiendo al investigador Arturo Warman, diremos que hay todo un ciclo de danzas que cuentan como personaje principal al tigre, animal siempre preferido por los indígenas en sus representaciones desde la época prehispánica, que está impregnado de un gran sentido ritual y simbólico.

Dentro de este ciclo podemos considerar las danzas de «Los Tecuanes» (Guerrero y zonas limítrofes de los Estados de Michoacán, Morelos y México), «Los Tepejuanes» (Estado de México), «Tlacololeros» (Guerrero y Puebla), «Tejorones» (Costa Chica de Guerrero y Oaxaca), la danza de «Los Mechudos» (San Pedro Ocotepec, Oaxaca), la de los «Líseres» (Veracruz), «Combate de los Tigres» (Zitlala, Guerrero), el «Kalalá» (Suchiapa, Chiapas), el «Baile de los Tigres» (Zinacantan, Chiapas), «Danza del Tigre» (Tumbalá, Chiapas), el «Gigante» y la «Danza de los Tigres, el Venado y el Gigante» (Suchiapa y Chiapa de Corzo, Chiapas).

Los Tecuanes

La danza de los Tecuanes (del náhuatl *Te* = alguno y *Cuani* = que come) es una representación dramática que incluye diálogos y describe las fechorías del tigre, la caza y muerte de un venado por este animal, los esfuerzos de los demás danzantes por capturarlo —algunos de los cuales caen heridos y son curados por los «doctores»—, y finalmente la muerte del tigre en su cueva y su traslado a lomos del «machomula» rodeado por los «zopilotes» y los «quebrantahuesos» que danzan a su alrededor para dar fin a la representación.

Intervienen en ella además del tigre, el «amo» con su escopeta, el «mayordomo», el «amo de los perros», dos «doctores», un «lancero», cinco «vasallos viejos», dos «perros», dos «venados», cuatro «quebrantahuesos» y cuatro «zopilotes» (representados generalmente estos dos últimos por ocho niños) y el bufón vestido de mujer.

Como en el caso de todas las danzas del tigre el vestuario de este personaje es el más notable, sobre todo por su máscara que en ocasiones, como en Olinalá, es una verdadera obra maestra de la creación artesanal, laqueada y trabajada con la técnica del «rayado», en la que cada mancha de la piel del animal está formada a su vez por diferentes diseños de animalitos realzados en la laca. Sus ojos son de vidrio y los bigotes y cejas de cerdas de jabalí. El resto del traje imita las manchas de la piel del tigre.

En Axochiapan, Morelos, las máscaras del tigre son de piel de becerro. El «amo» y el «mayordomo» visten de charros o de chinacos; los zopilotes de negro; los «doctores» de levita.

La música la provee una flauta de carrizo y un tamborcillo o bien la chirimía y el guitarrón.

El tigre suele perseguir al principio de la representación a los niños y es acosado por los danzantes que ejecutan zapateados de gran destreza.

Aunque la danza no tiene contenido religioso, se representa siempre durante las fiestas religiosas y los danzantes entran antes de comenzar a la iglesia a saludar a los santos, haciéndose el baile inicial en su honor.

Danza de los Tepejuanes

Esta variante de los Tecuanes proviene de Almoloya de Juárez, en el Estado de México.

En ella el tigre divierte primeramente al público con toda clase de piruetas que hace sobre una cuerda tendida.

Los personajes principales son «Juan Tirador», el «viejo loco», su «intete» (lagartija negra montada sobre un palo, que se mueve por medio de una cuerda), el «venado», el «perro», el «ganado», etc.

Todos ellos persiguen al tigre, que al final de la danza sube a un árbol, al pie del cual el perro comienza a ladrarle. «Juan Tirador», muerto del susto, dispara su escopeta y mata al tigre que se deja caer del árbol y es llevado seguidamente a «reportar» entre la gente del pueblo.

Versión parecida, en la que aparecen el «Gobernador» y «Juan Tirador» se escenifica en Tlamacazapa, Guerrero —la cual transcribe Fernando Horcasitas en *Lo efímero y eterno del Arte Popular Mexicano*—, dándose gran importancia a la medición de la piel del animal y los objetos que con ella se van a poder hacer según le explica a «Juan Tirador» el «Gobernador»: «...El tigre está tan grande que te voy a regalar un pedazo de cuero para tu chaqueta, para tu chaleco, para tu cinturón, para tu camisa, para tu calzoncillo, para tu chamarra de piel, para tu chaparrera, para tu pantalonera, para tus polainas, para tu «calzonera», para la funda de tus armas. ¡Hasta para los zapatitos de tus perritos! ¡Hasta para la máscara, hombre! ».

Danza de los Tlacololeros

La danza de los Tlacololeros (tlacolotl: superficie desmontada y sembrada en una ladera) que se escenifica en los Estados de Guerrero y parte de Puebla, representa el trabajo de los campesinos al desmontar y preparar la siembra y su lucha contra el tigre que amenaza destruir sus esfuerzos.

Intervienen en ella unos veinte personajes: el tigre, el «Maya» o «Maizo», que es el jefe de los cazadores; el «Salvador», su ayudante; la «Maravilla», perrita que ayuda a rastrear al tigre; los «tlacololeros» o agricultores que reciben nombres como «el Chile Verde», el «Calabacero», el «Llamalero», etc., y los

LOS TEJORONES

«Huezquistles», que son los bufones, vestidos extravagantemente.

Los «tlacololeros» con un costal alrededor del cuerpo relleno para protegerse de los chicotazos que se propinan durante el curso de la representación, un sombrero con rodete de ramas, viejas chaparreras y un chincuete en la mano, fingen primero dedicarse a sus labores de preparación de la siembra, después narran al «Maya» las tropelías del tigre, haciendo jocosas alusiones improvisadas sobre gente conocida del pueblo, que provocan gran regocijo entre los espectadores, y se inicia, por último, la búsqueda del tigre que se ha ido a esconder. La «Maravilla», olfateando en todas direcciones, lo localiza, y el tigre es muerto por el «Maya» que pide a su ayudante lo mida para poner a continuación el cuero en venta bromeando con este motivo con el público.

El final de la danza es la «quema del tlacolotl» que, al son de una alegre música, suele degenerar en verdadera batalla campal en la que los «tlacololeros» se azotan mutuamente con fuertes chicotazos.

La música de esta danza, que se compone de más de veinte sones, es ejecutada por un solo intérprete en flauta de carrizo y tambor.

El investigador Arturo Warman considera como antecedentes hispánicos de esta danza, en lo que respecta a la temática y vestuario, a la «Danza de la Bayeta» que aún se practica en Valencia y consiste en representar la actividad de los antiguos campesinos, cuyo traje se imita cubriéndose el rostro con unas bolsas de paño con perforaciones para los ojos. En cuanto a estructura dramática, reconoce como antecedente al «dance» aragonés, que tiene una parte dialogada en la que se hace el resumen del año agrícola y grandes burlas a costa de los vecinos de la localidad.

Combate de los Tigres

El investigador Roberto Williams (*Fiestas de la Santa Cruz en Zitlala*. FONADAN) describe un feroz combate que tiene lugar en Zitlala, Guerrero, entre dos bandos de tigres que suelen ser de diferentes barrios y se dan «toques» con las reatas mojadas — para que los golpes sean más secos y duros —, a las que se les pone una bola en la punta, con lo que se asemejan a las macanas aztecas (macachuitl).

En este tradicional encuentro los tigres van vestidos con su ropa más vieja y llevan máscara de madera con ojos de espejo o vidrio, orejas, lengua y dientes de cuero, cejas y bigotes de cerdas de jabalí, colocada sobre capuchas amarillas o verdes.

Danza de los Líseres

De manera análoga, en Santiago Tuxtla, Veracruz, se realiza el día de San Juan y el de su santo patrón (25 de julio) la danza de los Líseres en la que los participantes, encapuchados y vestidos con batas que imitan la piel del tigre, se azotan mutuamente con reatas.

Los Tejorones

Los Tejorones, una agrupación de danzantes de la Costa Chica de Guerrero y Oaxaca y algunas otras zonas de este Estado, tienen como finalidad el danzar durante las festividades de Carnaval y el Jueves de Corpus, para lo cual interpretan un número de juegos y danzas que son, en Pinotepa Nacional, Oaxaca: el Son de los Teporones (yaa tacucm en zapoteco); Son del Tigre (yaa cuiñi); Son de la Iguana (yaa titi); Son del Conejo (yaa cuñechu); Son del Guajolote (yaa colo); Son del Currucucú, pájaro que canta (yaa cucu); Son de animales muertos comidos por los zopilotes (yaa chaini); Son chilena bailado por una mujer y un hombre (yaa tacnu ñahja); Son de Cadena (yaa cani); Son de la guerra entre dos partidos, Pilato y Santiago (yaa Santiago); Son de la Culebra (yaa coo); Son del Casamiento (yaa ñahja chacnu), y Son del Tecolote (yaa canjú).

Usan los tejorones traje y zapatos viejos, medias largas color café, una máscara de madera y un gorro cónico de plumas de gallo. En la mano izquierda dos paliacates rojos, en la derecha un chinchín (sonaja) hecha de jícara. Otro de ellos va vestido de mujer, con pozahuanco, faja en la cintura y huipil bordado, máscara de madera que representa a una mujer, una sonaja igual a las otras y un sombrero en la cabeza. Cuatro danzantes más representan a ancianos en sus máscaras, llevan pantalón y chaqueta viejos, chaparreras y botas de cuero también en mal estado, y una cuarta o chincuete en la mano derecha.

DANZA DEL TIGRE

La danza del tigre es la titular de los tejorones. Se trata de una danza con diálogos, parecida a la de los tecuanes, en la que se representa la cacería del animal, localizado por el perro en lo alto de un árbol y muerto por el cazador. El cuerpo del tigre es recogido junto con los de los animales domésticos muertos por él, por hombres vestidos de mujer que fingen la preparación de un mole.

Los tejorones tienen siempre como finalidad divertir a la gente con improvisaciones en sus diálogos y bailes, llenos de travesuras y bromas.

La música que acompaña sus sones es interpretada con violín y jaranita.

Baile de los Tigres

En la población de Zinacantan (Altos de Chiapas) se representa el Baile de los Tigres en el que toman parte diez danzantes y dos músicos que tocan la guitarra y la flauta de carrizo con el tambor.

Frente a la iglesia de San Sebastián danzan dos «tigres», dos «lacandones», que visten chuj (chamarro) azul, sombrero negro y huaraches, cuatro hombres pintados de negro y dos pájaros que llevan como pico una mazorca. (Mercedes Olivera, *Danzas y fiestas de Chiapas.* FONADAN.)

Danza del Tigre

Durante el Carnaval, en la población de Tumbalá, Chiapas, se interpreta otra danza del tigre en la que participan cuatro o más «majstejeles», vestidos con enaguas y blusas negras bordadas con hilaza y descalzos; un número de «capitanes», con un pañuelo blanco en la cabeza con listones largos de muchos colores, una banda roja cruzada en el pecho sobre su ropa cotidiana y zapatos, y un tigre vestido con la piel de dicho animal. Todos bailan de casa en casa donde les dan de beber aguardiente. (M. Olivera, *ibídem.*)

Danza del Gigante

Un baile diferente, en el que también participa el tigre, es el del Gigante, que se ejecuta en Suchiapa y Copainalá, Chiapas.

Los personajes son: el Gigante, que tiene una cabeza de madera de la que cuelgan sobre la espalda unas varitas blancas, espejos y campanas, viste todo de blanco y lleva sombrero; varios tigres vestidos con pantalón y camisa unidos, de color amarillo y con círculos negros, huaraches y un casco de madera con la cara del animal; un venado, cuyo disfraz está hecho con la piel del mismo, y que porta una cabeza disecada con cuernos adornados con flores.

Forman un círculo con pieles de venado y dentro de él bailan todos estos personajes. (M. Olivera, *ibídem.*)

Danza de los Tigres, el Venado y el Gigante

En una variación de la Danza del Gigante de Suchiapa, que se escenifica en Colonia del Parral y en Chapultenango, Chiapas, cuatro tigres tratan de vencer con su poder al Gigante que se defiende con valentía, pero todos ellos son vencidos a su vez por la agilidad y astucia del venado. Esta trama se desarrolla danzando en las calles del pueblo. (M. Olivera, *ibídem.*)

Danza del Kalalá

La danza del Kalalá (Calalá o Kalaá) se representa actualmente en dos localidades de las tierras bajas de Chiapas: Chiapa de Corzo y Suchiapa, en ocasión del día de Corpus Cristi, en dos muy distintas versiones.

La de Chiapa de Corzo se baila dentro de la iglesia por dos danzantes, el tigre y el Kalalá (venado).

El Kalalá lleva un aro hecho de bejuco cubierto con piel de venado y se cubre la cara con una máscara de «Parachico» —tradicional de esa localidad—, finamente tallada en madera con ojos de vidrio. Lleva un chicote en la mano para golpear con él a las personas arrodilladas frente al altar.

El que representa al tigre viste una piel de dicho animal. La música se interpreta en tambor y flauta de carrizo.

La más conocida de las versiones del Kalalá es la que se escenifica en Suchiapa, en la que interviene un número mucho mayor de danzantes: unos treinta y cuatro hombres, veinte niños y cinco músicos.

DANZA DEL KALALA

Aparentemente se ha perdido la trama que unía a tan diversos personajes y que alguna vez debió tener un sentido distinto.

Los participantes se integran en distintas comparsas: la de los tigres con máscaras de madera pintada y un traje que les cubre todo el cuerpo menos las manos, los cuales imitando los movimientos del tigre rugen en todas las esquinas del pueblo mientras siguen al venado; la de los «chamulitas», integrada por niños con las caras pintadas de cal y portando iguanas vivas o animalitos disecados; la de los «diablos», teñidos de negro; la de las «reinitas», pequeñas niñas en vestidos largos de artisela peinadas con rizos y luciendo coronas de hojalata, de cartón, oropel, papel de china y cuentas; el «gigantillo», que porta una cabeza de serpiente de madera con enorme penacho que le da el aspecto de una representación prehispánica de Quetzalcoatl, la serpiente emplumada (Barbro Dalhgren). El penacho exige, por su peso, una enorme destreza por parte del danzante. El «Príncipe» lleva un penacho en la espalda y una corona de flores de papel y cuentas y un arco con flechas de madera. El Kalalá o venado, que da nombre a la danza, viste una armazón de madera de la que emerge una cabeza de venado.

El grupo recorre el pueblo hasta llegar a la iglesia, con la música de guitarra, sonajas, tambores y flautas. El Gigantillo y el Kalalá, bajo el peso de sus aditamentos danzan en giros burlescos, rodeados de los diablos, mientras los tigres corretean al público con feroces aullidos y los «chamulitas» lo asustan con sus iguanas y animales disecados.

Arturo Warman consigna una versión aportada por Carlos Basauri en 1940, según la cual la danza antiguamente tenía un significado distinto que hoy ha perdido:

«Un hombre se disfraza con una máscara grotesca y se coloca en la cintura un cuero de res y toma un látigo en la mano. Sale del monte acompañado por un ayudante con el cuerpo embadurnado de negro y que representa al diablo. Entran en el pueblo el Kalalá y el diablo bailando, y en él las madres llevan a sus hijos pequeños para que reciban una azotaina del personaje, mientras éste pronuncia unas frases en lengua chiapaneca. El niño recibe después nanches — frutillas — del Kalalá, que representa una deidad de los montes que hace que los niños crezcan fuertes y sanos.»

V. DANZAS RELACIONADAS CON EL CICLO DE MOROS Y CRISTIANOS

Danza de los Moros y Cristianos

La danza que ha ejercido mayor influencia y que ha creado un número más extenso de otras danzas y adaptaciones a su semejanza es la de Moros y Cristianos, difundida desde el siglo XVI por los frailes misioneros, que constituye un verdadero complejo de danzas, diversas entre sí y con algunos elementos en común, todas las cuales se remiten en último término, como lazo de unión, a la de Moros y Cristianos, y yendo más allá al enfrentamiento del bien, encarnado por los cristianos, y el mal, simbolizado por los herejes.

Basándonos en el extenso y profundo estudio elaborado — acerca de ésta que, rebasando los límites de una danza, es todo un fenómeno cultural — por el investigador Arturo Warman (*La Danza de Moros y Cristianos*. 1972. SepSetentas), señalaremos que se trata de un producto de la época medieval española, con origen en alguna parte del norte de la Península (probablemente Aragón) ya libre de la dominación sarracena, durante el siglo XII. El citado investigador indica que la primera referencia documental a esta danza es en la boda de Ramón Berenguer IV, conde de Cataluña, con Petronila, reina de Aragón, en 1150.

El impacto que sobre la historia española ejerció la dominación musulmana de casi ocho siglos de continua lucha, se reflejó en la popularidad de las representaciones de combates fingidos (cuya antigüedad nos remitiría hasta los griegos), historias fantásticas y canciones de gesta y romances, en los cuales los cristianos, que combatían a los moros en inferioridad numérica, lograban resonantes triunfos gracias a la intervención de seres sobrenaturales: cruces resplandecientes que aparecían en el cielo y les daban un valor invencible; San Jorge con una brillante cruz roja en el pecho lanzando nubes de flechas sobre los infieles, o Santiago en blanco corcel poniendo su espada al lado de las de aquellos escogidos por el cielo para detener el avance de los enemigos de la fe. Se creó un pensamiento místico que ayudó a la tremenda Cruzada permanente que, por espacio de ocho siglos, vivió aquel pequeño y dividido país todavía en formación, llenándose de símbolos representati-

XVIII.	Del fascinante mundo surrealista o fantástico del pueblo mexicano destacan fundamentalmente las danzas del mundo mágico de Ocumicho, Michoacán, el lugar en donde más diablos se producen por sus artesanos ceramistas. Esta danza se relaciona con la festividad religiosa de San Pedro, en donde la ejecución de panes especiales de ornato juega un papel importante.

122. Tecuanes o «tigres» en Olinalá, Guerrero.
123. Participantes de la danza de Moros, Olinalá, Guerrero, el día de San Francisco.
124. Tecuanes. Olinalá, Guerrero.
125. Danzante de Moros, Olinalá, Guerrero.

126. Encuentro entre Moros y Cristianos en Olinalá, Guerrero. Día de San Francisco.
127. Máscara de tigre ejecutada en laca policromada, con cerdas y colmillos de jabalí en Olinalá,
Guerrero.

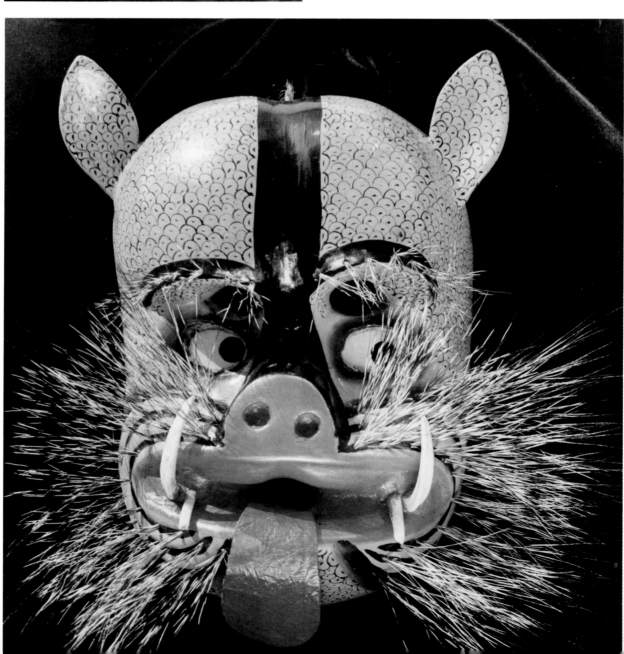

128, 129, 130, 131. Participantes de la danza de La
Pescada, en Chilapa, Guerrero.

132, 133, 134. Grupo de mujeres y hombres danzantes en San Miguel Totolapan, Guerrero.

135, 136, 137. Participación de los indígenas de la
Sierra Norte de Puebla en la danza
de Xochicozcatl. Cuetzalan, Puebla.

138.   Grupo de baile de «Cuadrilla Tarasgota» de San Juan Tianguismanalco, Puebla.

Danza de los Olmecas o Santiagos en la zona totonaca

A la versión de Santiagos, que se escenifica en Papantla, Veracruz y el resto de la zona totonaca, siguiendo las investigaciones del etnólogo Roberto Williams García, suele llamársele también — sin haber podido averiguar cuál es la razón — danza de los Olmecas. Entre los personajes algunos son reconocidos como los jefes y son denominados Pilatos, Santiago y Caín. El rey de los judíos u olmecas es Pilatos, que marcha adelante con una rodela seguido de dos en fondo por los suyos. Luego siguen Caín y Santiago; Pilatos los persigue y encarcela. Cuando Caín es alcanzado simulan meterle una espada en la nuca, bebiéndose su sangre.

La danza en general se reduce al combate que mantiene Santiago con su gente en contra de Pilatos, logrando triunfar el primero.

Lo más característico de esta danza es que usan una rueda gruesa de madera llamada «Ximal» o escudo y una pequeña lanza de madera, exceptuando Santiago, que lleva machete. Éstas son sus armas de lucha, con las que simulan la lucha en los diversos pasos y giros que ejecutan, complicadas evoluciones que se relacionan con la variedad de la danza llamada Paloteo.

Danza de los Alchileos y otras versiones de Santiagos en el Estado de México

En Teotihuacán, Estado de México (según asienta Rafael M. Saavedra en su libro *Nuestro México, 1974*) se celebra del 18 al 20 de junio una gran fiesta en honor de San Juan Bautista, su santo patrón, durante la cual, entre otras, se interpreta la danza de los Alchileos.

Su asunto fundamental es la toma de Jerusalén por el apóstol Santiago al frente de las tropas cristianas, derrotando a Pilatos, jefe de los defensores de la ciudad. Se trata en realidad de un drama dialogado, y subrayado por el baile, hablado en mexicano y contando como instrumentos con la flauta de carrizo y tambores.

Como indumentaria usan los cristianos un calzón adornado con cintas blancas y rojas y un corselete profusamente bordado, zapatos negros y toscos, una espada en la mano derecha y una cruz en la izquierda. Los Alchileos usan calzón corto que se frunce para sostener unas medias de colores, grandes levitas formadas con trozos de cuero cubiertas con cuadros verdes y rojos y un puñal en la mano derecha que afilan constantemente con la pequeña lámina que portan en la izquierda. Los dos personajes principales llevan, además, capitas sobre los hombros. Los cristianos traen como tocados unos cascos de alas pequeñas rodeados de una aureola de metal. Los Alchileos se cubren con máscaras de fieltro unidas a una gorra de piel de oveja. Pilatos es reconocido por sus barbas blancas y un gorro rojo recamado de lentejuelas; Santiago, por una máscara de madera y yeso pintada y rodeada de una aureola de lámina y una cabeza de caballo de madera, con dos palos simulando las patas delanteras, amarrada a la cintura con correas de cuero. El mencionado autor transcribe parte del pintoresco diálogo, del que vamos a citar solamente un pequeño fragmento:

«SANTIAGO a GALLÍN: — ¡Oh! mi capitán, siempre esforzado y leal y por mí muy querido; ilustre caudillo, ven acá, acuérdate de mí. Óyeme, quiero que te vayas preparando para surcar el mar, a fin de que vayas hacia donde está la tierra que nos han quitado, allá en donde está aquella mi gran ciudad, la renombrada Jerusalén, a donde llevarás, de parte mía, una embajada secreta; conducirás un documento escrito, una carta firmada por mi mano en esta ciudad de Roma. Para ir allá, Dios primeramente será quien te conduzca por muy buen camino; y para que Dios te lleve y te traiga con seguridad y para que te vaya bien, acércate, vas a recibir de mis manos la santísima bendición de Dios Padre, de Dios Hijo y de Dios Espíritu Santo».

«GALLÍN a SANTIAGO: — ¡Válgame Dios del Cielo! ¡Oh! mi general, ¡oh! mi emperador, señor Santiago, garboso caballero, siempre esforzado y recto, y por mí muy querido, ilustre caudillo, estoy en tu presencia; heme aquí listo para surcar el mar; estoy pronto para conducir vuestra embajada secreta, vuestro documento, vuestra carta firmada por vuestra mano en la ciudad de Roma».

En la danza de Santiago del pueblo de Tepetlaoztoc, en este mismo Estado de México, y alrededor de Texcoco intervienen dos Caínes como personajes adicionales y también se utiliza esa versión en el Estado de Hidalgo.

El rey Santiago de la danza de Santiagueros de Atlaltongo, México, cuando va a la cabeza de sus «cristianos» porta máscara de madera con resplandor y viste pantalón de charro.

En la danza de «Moros» de la zona purépecha de Michoacán, una de las versiones más afamadas de la danza, los tres o cuatro danzantes que intervienen guiados por Santiago visten turbante de gasa adornado con hilos de perlas, cubriéndose el rostro con una mascada de color. Los pantalones, de finísimo paño verde, son semejantes a los de los gauchos y los adornos muy vivos. Una hilera de pescados de plata sujeta a una cadena del mismo metal en la cintura. El chaleco es del mismo paño del pantalón y está sujeto a una capa de damasco. Con las espuelas llevan el ritmo de la música.

Esta danza no se efectúa en el atrio de la iglesia, sino frente a las casas del pueblo, que recorren todas a caballo. La música abre marcha anunciando a los danzantes que son esperados en las casas previamente adornadas de cempoalxóchitl y obsequiados con jarros de aguardiente.

Cuando llegan a la casa del «carguero» ya los acompaña todo el pueblo y aquél da de comer a todos. Una vez terminada la comida y libaciones de aguardiente, sale el carguero llevando una jícara donde va el pan, atole, una botella de aguardiente y una caja de cigarros que entrega al capitán de los danzantes mientras todos se descubren. Le dice en tarasco al hacerle la entrega: «Así como me atendieron y sirvieron cuando era capitán, yo lo hago ahora contigo, y para el próximo año que te toca a ti el cargo, deberás hacerlo con todos». Después se levantan y visitan nuevamente todas las casas del pueblo.

En el pueblo de Ocumicho, situado en la sierra tarasca, durante la fiesta titular del pueblo la imagen del santo patrón, adornada con un collar de plátanos y panes de caprichosas formas, y una gran aureola a su espalda formada de cera escamada y teñida, es paseada por el pueblo y colocada en el atrio de la iglesia donde se levanta un altar con las ofrendas de todos los vecinos. Los danzantes de «Moros» que llevan además del traje acostumbrado grandes panes colgando del pecho y espalda, llegan a caballo ante la imagen, desmontan, rezan y colocan cirios a la imagen del santo, bailando a continuación en forma pausada, marcando el ritmo con el sonido de las espuelas.

Danza de los Chareos

Esta danza, que se realiza en Pinotepa de Don Luis, Oaxaca, está integrada por doce personas, que visten con traje (saco y pantalón hasta la rodilla) de pana roja, con adornos negros, en la espalda una tela bordada amarrada de dos esquinas; en la cintura llevan una faja o paño blanco con adornos de hilo morado en las puntas y cascabeles en la orilla del pantalón para llevar el ritmo del tambor y del carrizo que silban con la boca y que llaman «tuyó». Llevan en la cabeza un turbante con una pluma de avestruz que en mixteco se llama chsini, la que les cubre parte de la cara. El que personifica a Pilatos va vestido de la misma forma pero lleva en la cabeza un capirucho de papel y una bandera blanca. El Santiago lleva un sombrero adornado con tres plumas de colores y en la cintura un caballo de madera; en las manos una bandera roja.

Todos llevan machete para pelear y los dos bancos pelean a un «Niño» que viste igual que los demás.

Danza del Señor o Las Sonajas

Una versión distinta de las danzas de Santiagos es la del Señor o Las Sonajas en el pequeño pueblo de El Naranjo, Michoacán.

Interpretan esta danza tres «negritos», un Señor o Santiago, dos niñas o «Malinches» y una comparsa de más de veinte hombres encabezados por dos «cuidadores».

Van vestidos con camisa blanca, pantalón corto de color en tela brillante, medias color de rosa, zapatos de oreja, una mascada color rojo vivo en el cuello, ceñidor ancho azul, una capa de seda que cuelga hasta las rodillas y un tocado de encajes con innegable aspecto oriental sobre el que va una diadema de hojalata. En la mano derecha sostienen una sonaja con la que llevan el ritmo y simulan defenderse y en la izquierda un ramo de flores de papel.

Las Malinches lucen vestidos largos blancos, ceñidores azules de seda, velos blancos sobre la cabeza, que les caen en la espalda, sujetándolos con una diadema de flores, zapatos blancos, un ramo de flores en la mano derecha y una pequeña cruz de madera en la izquierda.

DANZA DE LOS TASTOANES

El Santiago o Señor se destaca entre todos por su espectacular máscara de madera policromada con un enorme penacho de flores elaborado en hojalata del que cuelgan por los lados del rostro numerosas y largas cintas multicolores.

Los infieles y el Señor simulan un combate dando saltos ágiles al compás de la música, hasta que el Señor, golpeándolos con su sonaja, los tira al suelo y danza con las dos pequeñas niñas alrededor de los vencidos.

Danza de los Tastoanes

Otra de las variantes que presenta la adaptación de la danza es la de permitir elementos que cambien radicalmente su forma y su contenido, llegando a veces hasta lo descabellado.

El baile de Tastoanes, que en forma tan noble se representa en la cerámica de Santa Cruz, Jalisco, se realizaba antiguamente, aunque ahora ya se hace raramente, en los pueblos aledaños a Guadalajara, como Mezquitán, San Andrés, Huentitlán, Tonalá y Santa Cruz, el día 25 de julio, en que se celebra al apóstol Santiago.

Se trata de una de las representaciones más notables, interesantes y elaboradas, que ha sido señalada por algunos conocedores como en cierta forma similar, junto con la de los Huehuenches, a las representaciones japonesas del teatro Noh.

El nombre de Tastoanes lo toma del que llevan los actores en la representación. Tatloani era el cacique o señor de cada pueblo, en lengua nahuatl.

Se trata de una alegoría que tiene como personajes dramáticos al apóstol Santiago y los Tastoanes y nos narra una historia, en partes incoherente por las adiciones libres que se han hecho en sucesivas interpretaciones, combinando un lenguaje ininteligible con frases como: «...entre más chimeca más remolineca tlancoixqui...», con gestos de pantomima estilizada en una manera violenta y exaltada.

El traje de los tastoanes·es por demás pintoresco, y no da idea de lo que representan sus portadores. Se compone de enormes máscaras de barro o cuero imitando un rostro humano grotesco o feroz con grandes narices, o bien cualquier animal, que les cubre el rostro y sobre la cabeza desmesurada peluca de res en distintos colores. Cubren sus cuerpos con grandes casacas de colores chillantes, de corte igual al frac, bien abotonadas por delante, y cuyos faldones levantan grotescamente al menor movimiento. Un calzón corto, también de color, les cubre hasta media pierna, dejando descubierta la otra mitad, hasta llegar al pie, calzado con zapatos de grandes orejas. Van armados de grandes espadas y rodelas de madera.

El jefe, al que llaman Sargento, se distingue por usar botones amarillos en su casaca y un quepis de cartón. Detrás de él siguen cinco personajes que llaman Barrabás, Satanás, Anás, Averrugo y Chambelico, lo que no deja duda acerca de su origen infernal.

Comienzan a bailar en la mañana, formándose dos filas que se precipitan corriendo por las calles de la población en son de batalla, con gritería y al son de la música de tamboril y chirimía. El sargento, de cuando en cuando se detiene, hace con su espada una raya en el suelo e impide, mientras así lo desea, que nadie la cruce. Al pasar por las tiendas entran, comen y beben sin pagar el consumo, pues es acostumbrado regalárselo ese día.

Por otros lugares del pueblo cabalga Santiago en brioso caballo blanco muy adornado y con sombrero jarano, y al encontrarse con las bandas de tastoanes se produce fenomenal pelea, de la que el Santo logra escapar, desapareciendo con su caballo.

Ya en la tarde, aparecen otros personajes, el rey y la reina — que lleva un rebozo en la cabeza y camisa larga femenina —. Ambos se instalan al centro de un entarimado con gradas, preparado para ello en el campo. Los reyes ordenan a los tastoanes que midan el terreno, lo cual hacen, tendiendo largos cordeles con toda minuciosidad y vienen a dar cuenta de su comisión.

Llega Santiago al lugar, los danzantes se lanzan sobre él aprehendiéndole y lo llevan, sólidamente sujetos los puños a la espalda con cuerdas, ante los «reyes», uno de los cuales coloca en sus rodillas un libro en el que aparenta escribir con burlescas muecas y contorsiones, el interrogatorio que figura hacerse al aprehendido, con frases igualmente sin sentido. Luego el alto tribunal delibera acerca de la sentencia que merece el vencido y pronuncia contra él la sentencia de muerte que, *incontinenti,* le aplican con sus armas los tastoanes, haciendo saltar del pecho de Santiago un torrente de roja sangre de res que trae éste en una vejiga oculta bajo su camisa.

XXII.   El cadencioso ritmo de la Zandunga y piezas propias del Istmo de Tehuantepec, la policromía de los bordados en su traje y la rica joyería de oro son parte de la fuerte personalidad de las tehuanas.

147, 148.   Danza del Torito. Costa de la Mixteca Baja oaxaqueña y guerrerense.

149. Danza de «Matlachines». Zacatecas.
150. El campo de la «Danza del Torito». Mixteca Baja oaxaqueña y guerrerense.
151. Danzantes de «Matlachines». Zacatecas.

152.   El capitán de la danza de los «Matlachines» con su atuendo multicolor de plumas. Zacatecas.

153. Niño danzante de «Moros». Papantla, Veracruz.
154. 155. Ejecuciones de la danza de los «Matlachines». Zacatecas.

DANZA DE LA PLUMA

dulce acento y al compás de los instrumentos, se repite con alegría... Compañeros, al baile todos, comencemos a danzar, porque a todos los presentes es preciso festejar...».

Y acto seguido comienza la larga danza que habrá de durar varias horas, amenizada por la banda de viento que toca una música completamente mestiza. Mientras Cortés y la Malinche se sientan en sillas colocadas en el extremo del sitio elegido para la representación, Moctezuma y la Cehuapila lo hacen en otras dos en el extremo opuesto, con esteras a los pies. El «Campo» da la orden de empezar y comienza la danza. «Primero viene el Registro (significa la llegada de los aztecas a donde se establecieron, la gran Tenochtitlan; luego el Himno (baile de gusto por estar ya en el lugar donde su sacerdote les había ordenado); el "jiotís" (un baile que acostumbraban bailar a su rey); el Baile de los Capitanes de Puerta; sigue el Celestante (un baile que hacían para prepararse a la guerra, como un entrenamiento, formado por saltos, hincados, cambio); el Espacio (cuando le llega el aviso que Cortés ha desembarcado en Veracruz); la Marcha (cuando Cortés hace su primer entrada a la gran Tenochtitlan y sale corrido, significa la Noche Triste); los bailes "Mis Cantares" (significan cuando manda por primera vez Moctezuma a su embajador a entrevistarse con Cortés y éste envía su embajador al rey Moctezuma); la Marcha (llega Cortés en persona tratando de apresar a Moctezuma); las Cuadrillas, con el Tendido de las Sonajas, los "Tres en fondo", las "Hincadas" (bailes que le bailan a su rey Moctezuma); Baile Marinero (la primera guerra cuando entró Cortés al palacio de Moctezuma); el Registro (después de la guerra entre Moctezuma y Cortés, con el palacio destruido); la Prisión de Moctezuma». (Información del maestro de la danza de San Martín Tilcajete, Agustín Hernández.)

Estas espectaculares danzas están intercaladas con largos parlamentos, lucidas embajadas de ambos bandos y furiosos combates. Moctezuma es tomado finalmente prisionero y termina la representación con la conversión general de los indígenas a la nueva fe cristiana.

Dentro de la danza interviene en forma preponderante el personaje de Malintzin, Malinche o doña Marina, como fuera denominada posteriormente tras su bautizo cristiano. Dos pequeñas niñas representan

respectivamente a la Malinche, en el bando de Cortés y la Cehuapila o doña Marina en el de Moctezuma. En un determinado momento de la danza ambas niñas se enfrentan corriendo y entrecruzándose en una especie de lucha en la que la Malinche enarbola la actual bandera mexicana. Éste es uno de los pocos casos en que los intérpretes no son exclusivamente masculinos.

Este ciclo de la Conquista —según nos ilustra Arturo Warman— ha demostrado extraordinaria flexibilidad para ajustarse a otros acontecimientos históricos. Así tenemos una Danza de la Pluma en Cuilapa, Oaxaca, que toma por tema la intervención francesa, y en la que cabe a Benito Juárez el papel de Moctezuma y a Zaragoza el de su principal asistente, mientras «Laurence» y «Vacén» serán los conquistadores. El papel de la Malinche permanece inamovible.

En este sentido tendremos que tomar a las representaciones de la batalla del 5 de Mayo en Puebla como variantes de este tipo de danza, lo mismo que la gran obra del teatro popular que se verifica en el Carnaval de Huejotzingo, Puebla, ambas ya descritas.

Danza de la Malinche

En Pinotepa de Don Luis, Oaxaca, se interpreta la Danza de la Malinche integrada por ocho personas, siete hombres y una mujer. Ellos se visten con calzón y camisa de color brillante, en la cabeza llevan una corona de flores de papel y espejos, en la mano derecha una sonaja o chinchín pintada de diferentes colores también brillantes y en la mano izquierda una toalla doblada.

La mujer se viste de satín rojo llamativo, una guirnalda de flores naturales y va pintada de la cara (mejillas y labios). Lleva una jícara llena de flores. Todos van descalzos y bailan el Son de la Malinche, con el cajón, violín y guitarra. Se trata, según dicen, de recordar el paso de Cortés por esta región.

Danza de los Malinches

Entre los huaves de San Mateo del Mar, en el istmo de Tehuantepec, se acostumbra bailar en sus fiestas religiosas, el día de la Candelaria, el jueves de Corpus y el 21 de septiembre, su santo patrón, la

XXIV. Oaxaca es una de las entidades más ricas del país en las manifestaciones artísticas de su pueblo. Los artesanos frecuentemente son intérpretes de sus danzas. Este niño forma parte de la danza de «Los Jardineros», de San Bartolo Coyotepec.

165. Máscara tradicional de la danza de «Los Negritos». Zona tarasca michoacana.
166. Danza de los «Moros», Michoacán.

167. Cuadrilla de la danza de «Los Negritos». Zona tarasca. Michoacán.
168. Grupo de danzantes de Angaguan, Michoacán. Una modalidad de la danza de «Los Cúrpites».

169, 170.   Danzantes de Angaguan, Michoacán.

171. Danzante de «Los Negritos». Michoacán.
172. Danzante de Angaguan. Michoacán.
173. Danzantes de «Los Negritos». Michoacán.

XXV. «Los Jardineros», danza tradicional de San Bartolo Coyotepec, Oaxaca, ejecutada por rudos campesinos y artesanos.

DANZA DE LOS MALINCHES

Danza de los Malinches, de origen y rasgos prehispánicos, pero con una fuerte influencia europea, ligada a la Conquista.

Los trece danzantes, divididos en cuadrillas de seis con un capitán, llevan un chal bordado sobre los hombros en los que cuelgan por la espalda anchos y largos listones de colores brillantes. En la cabeza un tocado formado por plumas atadas en forma de cono y colgando sobre la frente una larga hilera de grandes monedas. Por espacio de dos o tres días bailan al son del violín, la tarola (tambor) y el bombo, más de treinta sones diferentes, casi siempre inspirados en el tema del mar: las Sirenas, Coralillos, Peces y Cangrejos, etc.

Danza de los Concheros

Con el nombre de «Danza Azteca», «Danza de la Conquista», «Danza Chichimeca» o de los «Concheros» se conoce una de las organizaciones tradicionales más vigorosas que cuenta en el país (principalmente en los Estados de Guanajuato, Querétaro, Tlaxcala, Hidalgo, San Luis Potosí, Puebla, México y Morelos y el Distrito Federal) con alrededor de cincuenta mil miembros y en la cual la danza es solamente una de las numerosas ceremonias de su complejo ritual.

Los danzantes se consideran descendientes de la población nativa prehispánica y sus ritos están encaminados a difundir la religión cristiana revelada a éstos por los conquistadores.

Según cuenta la leyenda, cuando combatían ferozmente los cristianos españoles con los chichimecas, apareció en lo más arduo de la batalla una cruz en el cielo, seguida por la imagen del apóstol Santiago. Los indígenas reconociendo ante tal portento la superioridad de las fuerzas que se les oponían, se rindieron y acataron la nueva religión que de esta manera les demostraba su poder. Después del combate pidieron a sus vencedores que colocaran una cruz en la cima del cerro donde éste se llevara a cabo y bailaron a su alrededor durante una semana en reconocimiento de su sumisión. Año con año siguieron yendo a bailar ante la cruz milagrosa y a su pie se escenificaban escaramuzas fingidas que recordaban el suceso anterior. Desde entonces se organizaron los grupos de «Concheros» que en el atrio de las iglesias al grito

ritual de ¡Él es Dios! inician su baile en círculo, acompañados de guitarras hechas en conchas de armadillo (de allí deriva su nombre de Concheros), mandolinas, huehuetls y teponaztlis, sonajas y los «huesos», sartas de semillas atadas a sus tobillos. Su vestimenta recuerda a la de los antiguos indígenas en forma idealizada y fantasiosa. Grandes penachos adornados con plumas teñidas de avestruz, sujetos a una corona adornada con cuentas de vidrio, espejos y otros elementos. El traje de los hombres en algunos lugares consiste en trajes cafés de piel de gamuza adornados con cuentas y flecos de piel, en otros una larga falda con flecos y nada en el torso. Los hombres siempre usan pelucas de cabello largo, porque los chichimecas así lo usaban. Las mujeres llevan el pelo largo. Ésta es la única danza en la que intervienen mujeres de edad adulta.

Una persona se convierte en conchero por una de dos razones: por seguir una fuerte tradición en su familia, o por haber hecho un voto a algún santo por favores recibidos o futuros.

La danza se extiende, a diferencia de las demás danzas tradicionales, en los grandes centros urbanos por una especial razón. Su organización de tipo popular, con concepciones teológicas propias del catolicismo popular ortodoxo, sus ritos y sus jerarquías establecidas, con una conciencia de derechos y obligaciones como participantes de una comunidad, provee a la gente emigrada del campo, que ha perdido el arraigo a la propia comunidad y sin el cual se siente desadaptada, de un eficaz substituto.

Los danzantes concheros cuentan con tres congregaciones grandes: la del Distrito Federal, llamada de la Gran Tenochtitlan; la del Bajío, que comprende parte de los Estados de Guanajuato, Querétaro e Hidalgo, y la de Tlaxcala, probablemente la más antigua.

Están organizados en grupos militares bajo el mando del Capitán General de la Conquista de la Gran Tenochtitlan. Según la letra de una de sus canciones son: «Soldados de la Conquista de la Santa Religión». Dentro de él hay grupos más o menos grandes de cincuenta a cien miembros que se llaman «Mesas», por el altar en torno al cual se reúnen.

Al ingresar un nuevo miembro al grupo de danzantes, iniciado en una ceremonia especial e impuesto de sus deberes y obligaciones, es nombrado con el cargo inferior que corresponde a la categoría de alférez, siendo su obligación, además de bailar, portar durante los actos religiosos que se efectúan un estandarte o una bandera. Cuando ha desempeñado satisfactoriamente sus actividades y aprendido a tocar el instrumemnto y a bailar, pasa a la categoría de conchero. El grado inmediato superior es el de sargento, de los que hay dos categorías: unos llamados de «campo», que tienen la obligación de cuidar que durante la danza todo esté bien organizado, y otros llamados de «mesa», encargados del adorno del altar. Después pasan a la categoría de segundos capitanes de conquista, o sea, los ayudantes inmediatos del capitán de conquista. El capitán de conquista con su gente está supeditado al capitán general de una congregación y más directamente al segundo capitán general o regidor, que desempeña funciones de comisario general y suple al capitán general durante su ausencia.

Las mujeres ingresan con el cargo de concheras, pudiendo ascender a malinche de banderas, de «somador» o de «campo», la que mantiene el fuego en el incensario, y cuando se la nombra malinche de bastón llegó a la categoría suprema, la que le permite además de asear y cuidar los objetos de la danza, a los cuales se les llama «armas»: guitarras de armadillo o de calabazo seco (cada uno de los instrumentos tiene su nombre propio y debe haber sido consagrado ritualmente durante una «velación»), el incensario de barro en el que se quema el copal y la campanilla, indispensables en las ceremonias previas y finales de la danza, el escudo y la sonaja de hojalata que forman parte de la indumentaria; cuidar de la moralidad de las demás concheras y vigilar que todo marche correctamente.

Cada miembro de la organización tiene la obligación moral de tratar a todos con respeto y consideración y ayudar a sus compañeros miembros en caso de enfermedad o desgracia económica recaudando fondos entre todos, y en caso de muerte ayudar a su familia. Constituyen en esta forma una gran Fraternidad. El que falle en estos deberes está sujeto a un castigo decretado por los oficiales superiores, usualmente un número de latigazos.

En el camino hacia el lugar donde van a actuar los concheros marchan en formación militar y sólo el jefe, vestido como un Demonio, puede ir de un lado para otro. Es su deber dejar libre el paso a los danzantes e impedir que la gente penetre en el espacio de acción de los danzantes durante la representa-

ción. Los porta-estandartes o alféreces llevan las banderas y estandartes con imágenes de Cristo y varios santos que luego en la danza se colocan en las cuatro esquinas que limitan el área.

En el atrio del templo, antes de comenzar a danzar los concheros se reúnen alrededor de una cruz y actúan su ritual delante de ella, después entran a la iglesia a rezar y piden permiso para danzar en el atrio.

Una vez allí la danza comienza lentamente aumentando su volumen y velocidad hasta llegar a un climax, y entonces se paran para comenzar de nuevo con pasos distintos y diferentes melodías. La extenuante representación continúa con intervalos durante todo el día.

Los concheros forman un círculo para su danza como en tiempos antiguos. La danza la comienza el capitán y los otros siguen a su jefe. Los pasos consisten en saltar sobre un pie mientras hacen una cruz en el aire con el otro; cruzar los pies con un balanceo de lado a lado; saltar sobre los dedos y ciertos pasos percutivos. Cada danzante baila por su lado y con su propio acompañamiento. La gente que quiere unirse a la danza porque han hecho una manda para ello, puede hacerlo en la parte exterior del círculo, aunque no tenga ni el instrumento ni el vestido indicado.

Cuando dejan una fiesta vuelven a entrar a la iglesia para dar gracias y despedirse del santo.

Los concheros bailan también, dos o tres grupos de ellos, el día 21 de agosto en la ceremonia que tiene lugar en la estatua de Cuauhtémoc en la Ciudad de México, rindiendo homenaje al último defensor de la capital azteca.

En la celebración de la danza de los concheros se puede observar la persistencia de los elementos mágico-religiosos, en las formaciones que realizan, en el impulso vital dirigido hacia el centro de un círculo, en la reiteración del número siete en los detalles de sus velaciones, en la forma con que marcan la cruz con el pie izquierdo, en objetos considerados mágicos que forman parte del vestuario, como los espejos. Aunque tienen como su símbolo la cruz, parecen rendir con ella culto a la antigua cruz indígena representante de los cuatro puntos cardinales, y los cuatro viento. Es curioso observar que siempre ofrecen la danza a los cuatro puntos antes de comenzarla y que además los cuatro santuarios más importantes, básicos, en los que siempre se reúnen a bailar están situados en las cuatro direcciones desde la Ciudad de México: la Basílica de Guadalupe, Chalma, los Remedios y Amecameca, los cuales fueron precisamente asiento de los santuarios páganos más frecuentados en la época prehispánica.

DANZAS QUE CONSERVAN SOLAMENTE EL SIMULACRO DE COMBATE

Hay un conjunto de danzas que aunque ya no cuentan con los personajes propios de las de Moros y Cristianos, o la Conquista, toman de ellas uno de sus elementos, el simulacro de combate, que es una de las motivaciones extendidas universalmente de la danza. Al mismo tiempo recuerdan a los indígenas sus propias escaramuzas guerreras en las danzas de espíritu bélico representadas en honor del dios Huitzilopochtli.

Son espectáculos puramente coreográficos y consisten en una sucesión de evoluciones concertadas al ritmo de la música.

Danza del Arco o los Arqueros

La danza es dirigida por dos capitanes que propiamente actúan como los bufones de la danza, usan máscara y prendas de vestir viejas y desproporcionadas a su tamaño para causar hilaridad. Los danzantes van vestidos con una faldilla en distintos tonos de color magenta que les llega hasta poco más abajo de las rodillas, sostenida con tirantes y adornada en su parte inferior con cascabeles hechos de las vainas de una planta llamada jarretadera. En la espalda se colocan una tela en cuadro de vistosos colores, adornada con figuras bordadas en lentejuelas. Tapan la parte inferior del rostro con un pañuelo rojo y como tocado portan un penacho de plumillas pintadas de distintos colores y adornado con hilos de cuentas de colores entrelazados y espejos. Cubren sus piernas con medias de hilo y calzan huaraches.

En las manos llevan un pequeño arco con su flecha semi-fija y una sonaja de hojalata, con los que producen el acompañamiento rítmico de los movimientos del baile. Colocados en un fila y moviendo los pies de adelante hacia atrás hacen algunas evoluciones para

quedar en dos filas frente a frente, se van entremezclando y realizando distintas figuras.

Danza de los Indios Aztecas de Quiroga

La danza adoptó el nombre de Aztecas de Quiroga por ser esta localidad una de las que con más frecuencia la interpretan junco con Tzintzuntzan y Pátzcuaro.

Se compone de ochenta y seis sones divididos en corridos y movimientos, en los que intervienen un número indefinido — no menor de seis — de danzantes.

Visten una sudadera roja y sobre ella un chaleco de color guinda, pantalón corto y faldilla muy adornada que les llega a media pierna. Sus huaraches van sujetos al pie por una correa que pasa entre el dedo gordo y el siguiente. El tocado está compuesto por un hermoso penacho de plumas con los colores de la bandera nacional, verde, blanco y colorado, adornado con chaquira, lentejuelas, espejos, cuentas de vidrio y tiras de carricillos.

En la mano izquierda llevan un arco dorado con flecha y en la derecha una sonaja de guaje, con la que marcan el compás.

Danza de los Mecos o Apaches

Otra danza de carácter guerrero es la de los Mecos, que se baila en la Mixteca Baja del Estado de Oaxaca y algunos lugares de los Altos de Jalisco.

La versión jalisciense cansiste en una relación de las incursiones que los indios chichimecas o apaches hacían en sus correrías por esos rumbos. Los danzantes hacen violentas contorsiones, blandiendo gruesos garrotes y dando altos y largos saltos, mientras con alarde de muecas y visajes gritan desaforadamente. Aparecen cinco o seis rancheros con los que sostienen dura pelea los mecos.

Se canta una tonada cuya letra dice:

> La meca le dijo al meco:
> ¿por qué estás tan amarillo?
> Y el meco le respondió...
> Por comer guayabas verdes
> Y «pasiarme» en el Saltillo.

DANZA DE LOS MECOS

En la Mixteca Baja la coreografía es distinta. Aparecen personajes como Candela, que es el jefe; el Secretario, Apache o Notario, que es el escribano; Sartimeco o el Gran Capitán; otros capitanes llamados Sartucho y Calero Pinto; Huahuinche, que es el encargado de transmitir las órdenes; Chinaxtli, un oficial y Chivemeco, el brujo que para alegrar la danza les administra a sus compañeros de baile una bebida que los embriaga.

Se ejecuta con un número variable de danzantes, los que llevan en la cabeza, como tocado, una corona de plumas de vistosos colores sobre la cabellera que les cae hasta abajo de los hombros. Su camisa está tejida con plumas, lo mismo que la enagüilla que les llega hasta más abajo de la rodilla. En las muñecas y en los tobillos, sartas de cascabeles con los que marcan los pasos, y en las manos el carcaj o micómitl de palma y lleno de flechas que utilizan en el simulacro de batalla con el que finaliza la danza; en la otra mano una gran macana con la que luchan cuerpo a cuerpo.

La música refleja a veces sentimientos de euforia combativa, gritos salvajes que parecen incitar al combate, y otras se convierten en cantos místicos destinados a demostrar sumisión ante el Señor de su veneración.

Danza de los Chichimecas

Esta danza es originaria de Salinas, San Luis Potosí. Generalmente se ejecuta en el atrio de las iglesias y los danzantes ofrecen al santo el esfuerzo de bailar durante varias horas.

Visten camisa de color fuerte y sobre ella un chaleco de terciopelo rojo bordado en lentejuelas con imágenes religiosas en la espalda. Sobre el corto calzón, un lienzo blanco enrollado en la cintura, y alrededor de las caderas, llegando hasta los tobillos, una enagua que tiene a espacios regulares flecos de canutillos de carrizo rematados con borlas de estambre de variados colores.

El tocado lo forman insertando en un sombrero de palma, forrado de la misma tela que el chaleco y la enagua, varillas de alambre torcido adornadas con plumas, de guajolote teñidas de colores, hasta formar un gran penacho que va del frente a la espalda bajando por ella. Calzan huaraches de cinco suelas.

Acompaña a los danzantes un «campo» vestido de rojo, con máscara grotesca y un sombrero viejo, que empuña un chicote y baila entremezclándose con los chichimecas en forma burlona.

Danza de los Arqueros

En Colotlán, Huejúcar el Alto, Bolaños, Mezquitic y otros lugares del norte del Estado de Jalisco se baila la Danza de los Arqueros, la que se supone es de origen huichol, aunque en la actualidad los huicholes ya no la bailan.

La melodía la llevan los violines y el ritmo lo marcan el teponaxtle, las sonajas y el arco, así como las hileras de carricillos que llevan colgando en la falda. Completan el vestuario con un chaleco salpicado de lentejuelas bajo el cual va una camisa de manga larga. El tocado consiste en un sombrero de palma que sirve de base a un alto armazón de carrizo cubierto de papel rizado y flores del mismo material, así como algunos espejos y flecos de cuentas haciendo ondas alrededor y cayendo sobre el rostro. La pareja que dirige la danza es denominada los «reyes».

Una danza similar, con algunas variantes pequeñas en vestuario y música, pero con el mismo nombre de los Arqueros, se baila en El Pantanal, Nayarit, tratándose probablemente de dos versiones con un mismo origen.

Danza del Indio

Una conocida danza del Estado de Durango, que representa las luchas libradas por los indígenas contra sus enemigos de otras tribus, o para defenderse de los animales, es dirigida por un «Monarca» que indica los cambios de evoluciones, auxiliado por los «viejos» o dos capitanes que encabezan sendas hileras, los cuales llevan chicotes en la mano para hacer más convincente este propósito. Son al mismo tiempo los bufones. La presencia del monarca la relaciona con la de Moros y Cristianos.

Los danzantes se colocan en dos hileras para bailar los sones de El Tecolote, La Víbora, El Perro, El Tejón, Los Colorados, etc.

Visten prendas de color rojo predominante, adornadas con cuentas y lentejuelas y figuras de hojalata.

DANZA DE LOS CABALLITOS

Su tocado lo forma un sombrero cuya copa remata en vistoso penacho de plumas. Zapatean gallardamente con huaraches de fuerte suela.

Danza de los Cuchillos

Entre los cuitlatecas del Estado de Guerrero es frecuente ejecutar una danza de gran destreza y vigor denominada de los Cuchillos, especialmente el día de San Miguel o el de la Santa Cruz.

Con una música sencilla de violín y guitarra panzona, los danzantes, vestidos con camisa blanca de manta, pantalón corto negro y chaleco del mismo color adornados con grecas, un vistoso ceñidor rojo en la cintura y sombrero ancho de palma propio de Tierra Caliente, medias negras y sandalias de correas de colores, bailan con ligeros saltos y movimientos rápidos, acompañando el ritmo con la sonaja que llevan en la mano derecha. En la izquierda sostienen un abanico de palma.

La danza termina con una pelea generalizada, por parejas, utilizando como armas unos cuchillitos de palo.

Con este mismo nombre de los Cuchillos se denomina en el Municipio de Terrenate del Estado de Tlaxcala una danza muy distinta que también es conocida como «El Ahorcado», porque en la penúltima evolución se finge que los participantes en la danza, peones de una hacienda, se rebelan contra el hacendado español y lo ahorcan.

Existe la costumbre de probar por medio de esta danza la resistencia física de los ejecutantes, estableciéndose competencias en las que muestran su habilidad en vistosos zapateados con una reata, con cuchillos, en cuartillas o en barriles. La alegre música es tocada por violines, guitarras y contrabajos. El número de participantes generalmente es de grupos de veinte o más.

Los distintos sones de la danza son: La Entrada, El Ofrecimiento, el Jarabe, El Tlaxcalteco, Chiquerey, Punta y Talón, Tlaco sencillo, Colorín Colorado, La Cadena, Las Agonías, El Ahorcado y La Despedida.

Danza de los Caballitos

En esta danza, que se interpreta en diversos pueblos del Estado de Zacatecas, intervienen ocho parejas de jinetes y sus respectivos caballos, un «moreno» montado en una mula y el jefe de la danza, que es un viejo vestido y montado igual que los jinetes, pero que lleva en la mano una espada, a imitación del apóstol Santiago. El «moreno» lleva en la mano derecha un látigo o chirrión.

Los caballos son simulados por una armazón de alambre y vara cubierta de franela, y cabeza de madera muy bien pulida. Llevan reata chavinda, sarape, almartigón, freno, cabestro, una cuerda y una mantilla.

Danza de los Coyome

En «el lugar donde beben agua los coyotes», Coyomeapan, Puebla, bailan un conjunto de danzas que llaman los Coyome, de tipo guerrero, en las que usan las armas que se conocían en tiempos de la Conquista: el trahuitollo (arco), el macuahuitl (macana) y el chimalli (escudo).

La música también se interpreta con los instrumentos autóctonos, teponaxtle (tambor), teczitle (corneta) y ayacachtli (sonaja).

Consta de ocho partes con sus respectivos diálogos: La Marcha Real con su arenga del monarca; la Danza del Huarachazo; la Danza de Eloxochitl; la Danza al Sol; la Danza de la Luna; la Danza del Monarca; la Danza de la Pelea, y la Danza de los Arcos.

La indumentaria consiste en blusa y calzón corto con dibujos y grecas de estilo antiguo; una capa y corona adornada con cuentas de colores, espejos y garzotas.

Danza de los Indios Brutos

Aunque de carácter guerrero, esta danza se inclina más a ser propiciatoria para la cacería. Se suele bailar en el municipio de Silao de la Victoria, Guanajuato, y otros puntos de la región del Bajío.

Los danzantes visten chaleco y falda sobre la calzonera de franela adornados con bordados en colores e hileras de pequeños carricitos que suenan al chocar; medias de hilo y huaraches de suela de madera. El tocado es una especie de corona adornada con espejos y rematada con un penacho de plumas de gallina pintadas de colores.

XXVI. La fresca ingenuidad de los rostros infantiles le da un toque especial a las interpretaciones populares cuando los niños las ejecutan. Negritos, Moros de la Luna y otras expresiones maravillosas de la zona del Tajín y Papantla, Veracruz.

190. Los niños, «soldados españoles», esperan su turno. Danza de la Pluma. Valle de Oaxaca.
191, 192. Danza de «Sonajeros». Tuxpan, Jalisco.

193. Cuadrilla de «Sonajeros» de Tuxpan, Jalisco.
194. Jóvenes y adultos con su tradicional indumentaria en la danza de los «Parachicos». Chiapa de Corzo, Chiapas.

195. Las máscaras de «Parachicos» junto al Santo
Patrón. San Sebastián, Chiapas.
196, 197. Grupo de danzantes de los «Parachicos»
con su atuendo de ixtle sobre la cabeza y la
máscara.

198. La máscara de la danza de «Parachicos» es una de las más bellamente ejecutadas. Chiapa de Corzo, Chiapas.

199. Sonaja, cobijilla multicolor de Saltillo y tocado en ixtle es lo tradicional en la indumentaria de «Parachicos» de Chiapa de Corzo,
Chiapas.
200. San José en la Danza de «Los Cúrpites» de
San Juan Nuevo, Michoacán.

201. Danzante de «Los Cúrpites». San Juan Nuevo, Michoacán.

202. Danza de «Los Cúrpites». Michoacán.
203. Danza de «Los Cúrpites». Michoacán.

204. Baile de «Los Pastores». San José de Gracia, Michoacán.
205. Grupo de «Los Cúrpites», Michoacán.
206. Danzante de «Pastores». Michoacán.

207. «Pastorcitas». San José de Gracia, Michoacán.
208. Festividad tradicional del día de Reyes con la danza de «Los Diablos y Ermitaños». Ocumicho, Michoacán.

209, 210. Los ermitaños en acciones de juego. San José de Gracia y Ocumicho, Michoacán.

211. Cuadrilla de ermitaños y diablos. Ocumicho, Michoacán.
212. Danza de «Los Pastores». Sierra de Michoacán.

213. Personajes principales de la Danza de los Diablos en la Pastorela. Ocumicho, Michoacán.

214. «Los Pastores», San Miguel Arcángel, San José y la Virgen en la Pastorela de San José de Gracia, Michoacán.
215. Ermitaño en la Pastorela de San José de Gracia, Michoacán.
216. Cuadrilla de «Los Pastores». Pastorela de San José de Gracia, Michoacán.

217. Lucifer o Luz Bel en la Danza de Los Diablos de la Pastorela de Ocumicho, Michoacán.

218, 219. Danza de «Los Migueles». Zacapoaxtla, Sierra Norte de Puebla.

220. Jóvenes campesinos participantes en la Pastorela, con su atuendo de ermitaños. Ocumicho, Michoacán.

XXVII. El diablo o satanás a punto de morir por el arcángel en presencia de los pastores y de los ermitaños. Fantasía popular de la zona tarasca de Ocumicho, Michoacán.

Con pasos firmes y enérgicos bailan colocados en dos filas portando en la mano derecha un garrote y acompañándose con una concha con la que entonan sones muy sencillos. Sobresalen de sus bailes La Matraca, La Esgrima, El de Seis y El de Tres.

Danza de los Tatachines

De supuesto origen prehispánico, bélica y ritual, esta danza se baila en las fiestas religiosas del Estado de Jalisco, especialmente en el Norte.

La música conserva marcado carácter indígena; se acompaña generalmente con violín y guitarra, o a veces con bajo y sexto.

El danzante lleva en la mano derecha una sonaja para marcar el ritmo movido y muy variado y en la izquierda el arco. Los temas son: El Alacrán, La Voladora, La Mejorana, El Borracho, El Gorrión, El Cojo, La Guerrillera y La Cruz.

El Mitote

En la región del mezquital del Estado de Durango y entre los indígenas tepehuanes se acostumbra celebrar el Mitote para dar gracias por alguna merced concedida, bailando en el atrio de la iglesia durante las festividades religiosas. Parte del Mitote es una danza para la que se visten un traje parecido al que es comúnmente usado en la danza de Moros, con tocado que semeja un turbante con grandes plumas del que cuelgan sartas de cuentas sobre la cara; llevan una sonaja en una mano y un arco con flecha forrado de papel rizado de colores en la otra. Dos de los danzantes usan pantalón y chaleco oscuro con hileras de discos metálicos colgando, un látigo en las manos y máscara de madera que representa distintos animales. Bailan con recias pisadas y variados pasos, La Presentación, Los Machetes, El Corridito, La Morisma, El Zempoat, Los Tagarnos, El Jilguero, El Gato y La Pulga.

Danza de los Caballeros

En la Danza de los Caballeros de Jaumave, Tamaulipas, participan dos cuadrillas, una de «infantes» y otra de «caballeros», los primeros con machete y los segundos con caballos de madera. Intervienen también un diablo, dos «Malinches», una «mula» y un «viejo». Tanto por el título de la danza como por los elementos del diablo, los machetes y los caballos puede suponerse en ella una derivación de la de Moros y Cristianos.

Danza de los Paloteros o del Paloteo

Esta danza difundida en la región del Bajío, en su parte correspondiente a los Estados de Michoacán y Guanajuato, parece tratarse de un baile de destreza, que como sucedió también en España, se originó con la sustitución de las espadas por barrotes a partir del simulacro de lucha en las danzas de Moros y Cristianos.

Los danzantes divididos en dos filas, tocados con vistosos penachos armados en carrizo y alambre a la manera de gran turbante oriental cubierto de florecitas, resplandores de papelillo dorado y forrado en tela de seda, del que cuelgan cuentas de colores, espejos, etc., con camisa rosa o verde de seda, bordada con lentejuelas e hilillos dorados formando figuras, una pequeña capita a manera de casulla en la espalda, lujosamente bordada con hilillos de oro figurando flores y figuritas de tipo religioso; pantalones amplios hasta la rodilla, en color azul o negro de charmés o terciopelo; huaraches hasta el tobillo con listones de color y cascabeles; un paliacate en la mano y en la otra un palo de madera de colorín; realizan complicadas evoluciones chocando sus garrotes o palos con extraordinaria precisión. Otro personaje, el Diablo, viste pantalón negro de paño sin adornos, camisa blanca con pechera tableada y cruzada por anchas fajas de seda en color verde y rojo y una gran máscara de madera laqueada simulando la cara de un diablo en la que resaltan de manera especial los dientes y una larga cabellera de ixtle. Sujeta en la mano un látigo con el que se abre paso entre la gente para dejar libre el espacio a los danzantes. La danza se divide en once sonecitos acompañados cada uno por una pequeña introducción que sirve de descanso o preparación para los danzantes: Entrada; Ofrecimiento; Descanso; Combate; la Cruz; Cordón; Trenzado; Cuadrillas; Gracias; Despedida, y Salida.

Se acompaña con la banda de aliento.

Danza de los Sonajeros

Otra danza de este mismo origen es la de los Sonajeros que se interpreta en la región de Tuxpan del Estado de Jalisco.

Su traje es el comúnmente usado por el ranchero, de pantalón y camisa de manta, pero para hacerlo más llamativo en esta ocasión adornan la camisa con listones de colores que van ondulando para formar un chaleco, y sobre el pantalón llevan unas pantaloneras puntiagudas de color oscuro abiertas a los lados, de las cuales cuelgan borlas de estambre. La parte baja del pantalón la adornan con cintas o listones de varios colores. Usan sombrero de palma vistosamente adornado con canutillo y cuentas de papelillo; calzan huaraches de doble suela. Uno de los danzantes, con tocado de plumas, chaqueta grande y usada y enagüilla corta con flores, lleva en la mano izquierda un pequeño arco con su flecha.

Empuñan un bastón hueco lleno de piedrecitas, o bien una vara caprichosamente labrada provista de dobles platillos de latón ingeniosamente colocados para que suenen cualquiera que sea el sentido en que se agitan.

Marchan al compás de una melodía ejecutada por dos músicos con chirimía o flauta de carrizo y tambor, cuyo ritmo acentúan con zapateados varoniles y complicados y golpes de sonaja.

El grupo de danzantes, por lo general de veinte, antes de comenzar la danza protesta formalmente ante su capitán no tomar licores durante la representación, bailar con entusiasmo, respetar al público y compañeros y contribuir con algún dinero a la compra de los indispensables cohetes.

La Cruz, el Molino, la Palma, la Torre, la Serpiente, la Ola y la Morisma, son otras tantas figuras que interpretan los Sonajeros durante la ejecución de su danza. Algunas son muy llamativas, revelan ingenio y denotan un buen sentido coreográfico.

La Ola, por ejemplo, se baila formando hileras de parejas. La pareja que va quedando atrás pasa por debajo de las sonajas que sostienen en alto las parejas que la van precediendo. La rápida sucesión de movimientos de inclinación y elevación a que dan lugar estos pasos, imprime al conjunto de parejas un movimiento ondulatorio, que es la razón de su nombre.

La Torre termina con una pirámide que forman los danzantes subiendo unos sobre otros y cuando lo han logrado agitan banderitas de papel, de la misma manera que los cronistas nos describen algunos juegos de los danzantes aztecas de la corte de Moctezuma.

La Morisma es un bailable de complicados pasos, cuyo ritmo se acentúa con fuertes huarachazos, mientras las sonajas se agitan incesantemente, las levantan más arriba de la cabeza y al bajarlas las apoyan momentáneamente en el hombro, para pasarlas entre las piernas con un ágil cambio de manos y volverlas después a la posición normal. Se hacen entonces complicadas evoluciones por todos los danzantes, que han bailado en dos filas dirigidas por la más hábil pareja. El cambio de figuras se indica con un prolongado sonido de las flautas y un característico grito agudo de los danzantes.

Danza de los Matachines o Matlachines

Los matachines son grupos de danzantes rituales que a menudo forman parte de la organización de la iglesia, a la que se unen por un voto hecho durante alguna enfermedad o penitencia y a veces lo hacen desde niños por una promesa de los padres y permanecen de por vida.

Es una de las danzas más difundidas en el país, abarcando del Centro hasta el Norte, pasando incluso a los Estados Unidos entre los comanches de Nuevo México.

Los danzantes colocados en dos largas filas ejecutan una gran variedad de pasos simples y figuras con una coreografía muy precisa en su ejecución. Algunas de las evoluciones son de tipo europeo, atravesando de un lado a otro, dos a dos, etc., pero la mayoría de los pasos son, sin embargo, puramente indígenas.

La danza la dirige un capitán, cargo que es vitalicio, ayudado por los «monarcas», que suelen ser los mejores bailarines, y los «chicatores».

El llamado «gritón» se encarga de dar las voces para los cambios en las evoluciones, y también hay un «chistoso», como en todas las danzas de conjuntos, que entretiene al público, asustándolo con sus animales disecados, y sirve también para conservar libre de intrusos el área requerida para las evoluciones de los danzantes.

El acompañamiento musical es a base de violines

en algunas partes, o violines y tambora y a veces guitarra y arpa.

Hay versiones de Matachines bailados por hombres y mujeres en San Luis Potosí y las Huastecas.

En Aguascalientes se conoce a esta danza como de los Matlachines. En todos los casos los danzantes visten trajes llenos de colorido, con coronas de flores de papel, cintas, plumas, cuentas de vidrio y espejos, una sonaja en la mano izquierda y en la derecha un pequeño tridente adornado con plumas. Los Matlachines de Aguascalientes en lugar del adorno emplumado en la mano derecha empuñan un arco con flecha.

Pero donde la danza de Matachines ha alcanzado una mayor importancia es entre los grupos indígenas del Norte, los yaquis de Sonora, que la ejecutan en la Semana Santa, y los tarahumaras de Chihuahua.

En 1892, Lumholtz describe los Matachines tarahumaras:

«...celebran la Navidad, con cuyo motivo unos llamados matachines se pintan la cara y cargados de zurrones de animales, tales como zorras, ardillas o zorrillos, bailan al son de un violín. Llaman por broma a dichas pieles sus muchachitos, y los cargan en brazos como las mujeres hacen con sus hijos...».

Los matachines tarahumaras bailan en las fiestas de la Iglesia y en otras ocasiones ceremoniales. En la cabeza llevan una corona hecha de una pieza circular de madera delgada, con arcos de varas dobladas, que está cubierta de papel, espejos, paquetes de cigarros y otras cosas brillantes, que cuelgan hasta el cuello. Se amarran un pañuelo a la cabeza, debajo de la corona, atado en la barba. Sobre una camisa de algodón blanco se cuelgan una capa que les llega por la espalda hasta la rodilla. Unos pantalones cortos o taparrabo, medias coloradas y zapatos. Ésta será la única vez que el tarahumara use zapatos. En la mano izquierda una estructura en forma de abanico. Ahora ya no se pintan la cara como informara Lumholtz en 1892.

La danza de los matachines se baila entre los tarahumaras por un número par de danzantes (de ocho a doce) y uno o dos monarcas o líderes. Los violines y las guitarras proveen la música. En Samachique hay unos diez músicos para esta danza.

Los llamados «chapeones» (capeones o chaperones) se colocan a un lado de las filas de danzantes, marcando el compás y gritando en voz de falsete para indicar el cambio de los pasos, atendiendo la señal del monarca o sonajero.

Los chapeones están a cargo de los matachines; cada hombre supervisa un danzante. Aunque cada matachín hace su propio traje, los chapeones ven que vaya de acuerdo con el de los otros. El baile se aprende principalmente por observación, pero los chapeones dan una ligera instrucción a los nuevos. De estos chapeones uno es considerado jefe, posición que lo hace al mismo tiempo jefe de los matachines, y se encarga de que los danzantes asistan a la fiesta. Como símbolo de su cargo lleva una máscara de madera tallada y pintada con líneas blancas, la cual tiene pegado pelo y barba blanca. Durante la danza usa esta máscara en la parte de atrás de la cabeza.

El jefe chapeón tiene una posición de considerable importancia. Dedica el tesguino en la casa de los Fiesteros (autoridades que conducen la fiesta) y se sienta con los jueces en los juicios.

La danza tiene numerosos pasos, ritmos y evoluciones que cambian a la indicación del sonajero, el cual se coloca a un lado o al frente de las parejas alineadas en dos filas. Generalmente cambia de ritmo al iniciar los violines un nuevo son.

Los danzantes bailan de una a dos horas, con breves intervalos de descanso.

VI. OTRO TIPO DE DANZAS RELACIONADAS CON LA RELIGIÓN CRISTIANA

Así como las Danzas de Moros y Cristianos, hubo una gran cantidad de danzas que tuvieron como origen las enseñanzas de los frailes evangelistas, entre ellas las escenificaciones de Pastorelas de Navidad, a las que ya hemos hecho mención, en las que se llevaba a cabo también un combate entre las fuerzas del mal representadas por los diablos y las del bien que tenían por representantes a arcángeles y pastores.

Danza de las Pastorcitas o las Pastoras

Como parte de la Pastorela se llevaban a cabo danzas ejecutadas por pequeñas niñas vestidas con vaporosos trajes largos, sombreros de ancha ala adornados con flores o coronas de flores de papel y cayados llenos de lazos que indicaban su oficio de pastoras. Con el tiempo la danza se llegó a independizar de la Pastorela y en ocasiones se interpreta sola.

Danza Tampulán

Entre los indígenas tepehuas de Veracruz, después de celebrar doce «posadas» consecutivas en casas distintas a las que llevan las figuras de los «santos peregrinos», la noche de Navidad actúan los «pistores» y la Danza Tampulán. Los «pistores» son un grupo de doce, dos de ellos capitanes, que cargan un arco adornado de papel de cinco metros de altura y llegan a la casa donde están las imágenes de la Virgen y San José para llevar al Niño Dios a la «casa» que le tienen preparada, consistente en un toldo fincado sobre una mesa cubierto con «estrellas» de manera que parezca la bóveda celeste. Delante de esta «casa» se ejecuta la Danza Tampulán hasta el amanecer.

Los danzantes usan gorros cónicos y varas recubiertas de papel de china, excepto el capitán vestido de mujer, que se coloca entre las dos filas. Éstas, de vez en cuando, se entrecruzan, siguiendo el compás de la música de violín y guitarra. El capitán «mujer» agita una mascada para indicar los giros y evoluciones y los anima diciendo «Vuelta, muchachos», a lo que éstos responden «Sí, Tata».

En una fase de la danza ponen en el suelo una culebra rellena de serrín y la matan, simbolizando quizá que tienen que acabar con el mal antes de recibir al Niño Dios.

Después de la medianoche los «pistores» van a la casa donde están las imágenes de los padres del Niño y las traen a la galera. Al amanecer las muchachas toman al Niño en brazos arrullándolo con canciones de cuna. Los danzantes bailan en torno a la «mesa» en ese momento. Vuelven a guardar al Niño Dios en su cajita y prenden velas. Los danzantes salen a bailar fuera de la galera.

Danza de los Cúrpites

A semejanza de las diferentes versiones de Santiagos, en esta danza que se interpreta en el pueblo de San Juan Nuevo, en la zona purépecha, el personaje principal, el Tarépeti, lleva en su mano un animal de madera, pero en este caso no es un caballo, sino un burro, o una cabeza de burro montada en un palo, pues el Tarépeti representa a San José, con una máscara de finísimas facciones, y acompañado de la Virgen María, un danzante vestido de mujer con delantal y sombrero, que buscan al Niño Dios que se les ha perdido, pero como ellos solos no pueden encontrarlo, solicitan la ayuda de los otros hombres, que en número de cuatro intervienen en la danza. A éstos se les llama «Cúrpites» («gente que se reúne», en idioma tarasco).

Los «Cúrpites» llevan una gran capa de color azul por fuera y roja con pintas azules en el forro, la cual agitan con los brazos en extraños movimientos que le dan un aspecto de aves o murciélagos. Calzan botas con cascabeles en los tobillos, que marcan con fuertes golpes el ritmo de la música, interpretada por violines, guitarras y tambor. El cuerpo lo cubren con un gran delantal que llega desde el cuello a los tobillos, adornado profusamente con encajes. Sobre la máscara de fina laca, una peluca de largas guedejas rubias de ixtle y un tocado de cintas de colores formando flores con un espejo en el centro, que se sujeta con dos cintas atadas al frente sobre la misma nariz del extraño personaje.

Danza de los Ocho Locos

Una serie de danzas de carácter ejemplarizante, como la de «Siete Pecados», los «Siete Vicios», «Tres Virtudes», etc., enseñaban gráficamente a distinguir entre el bien y el mal, supuestamente trabados en eterna lucha. En el barrio de Avazacatla, de la ciudad de Chilapa, Guerrero, se presenta una versión humorística de la danza de «Los Siete Vicios», denominada «Los Ocho Locos», ya que cada uno de los ejecutantes pertenece a uno de los dos bandos que significan el bien o el mal.

El «fraile» es el que indica los cambios de las piezas musicales, para que actúen: el enamorado con la quinceañera, el jugador con el estudiante, el ranchero o el charro con el médico y el diablo con la muerte.

Los danzantes establecen entre sí diálogos con relatos especiales y bailan por parejas, la forma musical

XXVIII. En el sur de Jalisco, en la zona de Tuxpan, es peculiar la «Danza de los Sonajeros», ejecutada por cuadrillas rítmicas de grandes y chicos ricamente ataviados, como se puede ver en los trajes de estos pequeños.

221. Adornos tradicionales con semillas para los santos, en Metepec, Estado de México.
222. Danza de Las Pastorcitas. Barrio de San Agustín. Santa Clara del Cobre, Michoacán.
223. San José con su arco de cera, llevado en hombros en el atrio de la iglesia de Ocumicho, Michoacán.
224. Máscara para la Danza de Las Pastorcitas. Santa Clara del Cobre, Michoacán.

225. Ma. de Jesús Nolasco, artesana de cerámica policromada, con los panes usados en la danza de las fiestas de Ocumicho, Michoacán.

226, 227, 228. Ofrenda de Panes y danza de «Moros» en Ocumicho, Michoacán.

229. La ofrenda de panes y frutas al santo patrono en Ocumicho, Michoacán.

DANZA DE LOS ARRIEROS

DANZA DE LOS TORTEROS MINEROS

y deslizados pasos, con el ritmo de los sones isleños y abajeños que ejecutan con violines, vihuela, guitarrón y guitarra.

La secuencia en el desarrollo de la danza sigue este orden de sones: Corazón (abajeño), Florecita de tres colores (abajeño), Siembra (abajeño), A medio-día (sonecito); Jarácuaro (abajeño), El Corpus (sonecito) y Suspiro (abajeño).

En otras versiones de esta expresión costumbrista, los danzantes al bailar rodean a una yunta adornada y uncida al arado, en el festejo que presencia el «mayordomo», quien luce elegante máscara.

XXXI. No hay límite de edad para sentir e interpretar el ritmo tradicional de su región. Este campesino de avanzada edad, pero de gran fortaleza, zapatea con toda energía la tarima o artesa en un sabroso «gusto guerrerense».

El baile popular mestizo

ÁLVAREZ, JOSÉ ROGELIO (director): *Enciclopedia de México*. Tomos del IV al IX.

ARTAUD, ANTONÍN: *Los Tarahumaras*. Barral Editores. Barcelona, 1972.

—: *The Peyote Danza*. Farrar, Straus and Giroux, Nueva York, 1976.

BERISTAIN MÁRQUEZ, EVELIA; OBREGÓN, LUIS FELIPE; RAMÍREZ, FELIPE; VELÁZQUEZ, RODOLFO, y PARDO, RUBÉN: *Ceremonial de Pascua entre los indígenas mayos*. FONADAN. México, 1976.

CAMPOS, RUBÉN, M.: *El folklore y la música mexicana*. Secretaría de Educación Pública. México, 1928.

CLAVIJERO, FRANCISCO: *Historia antigua de México*, 1927.

COSS, JULIO ANTONIO: *Introducción al estudio de la música folklórica mexicana*. Ediciones de Divulgación Cultural, No. 1. México, 1974.

COVARRUBIAS, MIGUEL: *Mexico South, the Istmus of Tehuantepec*. Cassell, Londres, 1945.

DÍAZ DEL CASTILLO, BERNAL: *Historia verdadera de la conquista de la Nueva España*.

DICKINS, GUILLERMINA: *Dances of Mexico*. Max Parrish, Londres.

D'POZA, PEREZDIEGO: *Danza de los Voladores*. México, 1968.

DURÁN, FRAY DIEGO: *Historia de las Indias de Nueva España e Islas de la Tierra Firme*. Editorial Porrúa, 1956.

FERNÁNDEZ, JUSTINO, y MENDOZA, VICENTE, T.: *Danza de los Concheros en San Miguel Allende*. El Colegio de México. Fondo de Cultura Económica. México, 1941.

GONZÁLEZ RAMOS, GILDARDO: *Los coras*. Instituto Nacional Indigenista. México, 1972.

GUTIÉRREZ, ELECTRA y TONATIÚH: *El arte popular de México*. Artes de México, número extraordinario, 1971.

—: *Indumentaria tradicional indígena*. Editorial Hermes, 1976.

—: *Imagen de México*, Salvat Editores, 1976.

LÓPEZ CHACÓN, MANUEL: *Verdad y mitología de Chihuahua*. Edición de América. Revista antológica. México, 1961.

LUMHOLTZ M. A., CARL: *El México desconocido*. Ediciones Culturales de Publicaciones Herrerías. México, 1945.

MARTÍ, SAMUEL: *La música precortesiana*. Ediciones Ecuménicas. México, 1971.

—: *Canto, danza y música precortesianos*. Fondo de Cultura Económica. México, 1961.

MATA TORRES, RAMÓN: *Vida y arte de los huicholes*. Artes de México, No. 161, año XIX.

MC'GEE, W. J.: *The Seri Indians*.

MÉNDEZ, LEOPOLDO; YAMPOLSKY, MARIANO; ÁLVAREZ BRAVO, MANUEL, y CARRILLO, RAFAEL (directores): *Lo efímero y eterno del arte popular mexicano*. Fondo Editorial de la Plástica Mexicana. México, 1971.

MILNE, JEAN: *Fiesta Time in Latin America*. The Ward Rifchie Press, Los Ángeles, 1975.

MONTES DE OCA, JOSÉ G.: *Danzas indígenas mexicanas*. Imprenta del Estado de Tlaxcala. México, 1926.

MUÑOZ, MAURILIO: *Mixteca nahua tlapaneca*. Instituto Nacional Indigenista. México, 1963.

NAHMAD, SALOMÓN: *Los mixes*. Instituto Nacional Indigenista. México, 1965.

OLIVEIRA, MERCEDES: *Las danzas y fiestas en Chiapas*. Catálogo Nacional de Danzas. Vol. 1. FONADAN. México, 1974.

Prieto, Guillermo: *Memorias de mis tiempos.* Editorial Porrúa. México, 1958.

Ross Crumrine, N.: *El ceremonial de la Pascua y la identidad de los mayos de Sonora, México.* Instituto Nacional Indigenista. México, 1974.

Ruiz Carvalho de Baqueiro, Eloísa: *Tradiciones, folklores, música y músicos de Campeche.* Publicaciones del Estado de Campeche. Campeche, 1970.

Saavedra, Rafael M.: *Nuestro México.* Editorial Jus. México, 1974.

Sahagún, Fray Bernardino de: *Historia de las cosas de la Nueva España.* Biblioteca Porrúa, 5 vol. México, 1956.

Saldívar, Gabriel: *Historia de la música en México.* SEP, Publicación del Departamento de Bellas Artes. México, 1934.

Spratling, William: *A Small Mexican World.* Little, Brown and Company. Boston, 1964.

Tibón, Gutierre y Carletto: *Calendario de fiestas mexicanas.* Departamento de Turismo del Gobierno de México. México.

Tibón, Gutierre (director): *Enciclopedia de México.* Tomos del I al III.

Toor, Frances: *A Treasury of Mexican Folkways.* Crown Publishers. Nueva York, 1947.

—: *Mexican Popular Arts.* Frances Toor Studios. México, 1939.

Vásquez Santa Ana, Higinio: *Fiestas y costumbres mexicanas.* Ediciones Botas. México, 1940.

Vogt, Evon Z.: *Los zinacantecos.* Instituto Nacional Indigenista. México, 1966.

Warman Gryj, Arturo: *La danza de moros y cristianos.* SepSetentas. México, 1972.

Williams García, Roberto: *Fiestas de la Santa Cruz en Zitlala.* FONADAN. México, 1976.

—: *Los tepehuas.* Universidad Veracruzana. Xalapa, Veracruz, 1963.

Zuno, José Guadalupe: *Lecciones de historia del Arte.* Guadalajara, Jalisco, 1961.

ÍNDICES

ÍNDICE GENERAL

ÍNDICE DE LÁMINAS

EN NEGRO

35. «Campo» en la Danza de «Los Quetzales» de la Sierra de Puebla, Cuetzalan.
36. Mujer que participa con sahumerio en la ceremonia del palo volador. Cuetzalan, Puebla.
37. Danzante de «Guaguas». Sierra de Puebla y de Papantla, Veracruz.
38. El capitán de «Los Voladores» tocando la chirimía y el tamborcillo, hace reverencias a los 4 puntos cardinales.
39. Detalle de la instalación de los «Voladores» sobre el palo, en el atrio de la iglesia de Cuetzalan, Puebla.
40. Danza de los «Voladores» al pie del palo con danzantes de Quetzales. Presentación en el Festival del Atlixcayotl. Atlixco, Puebla.
41. Acercamiento de los Voladores en plena ejecución de la danza del capitán sobre el palo.
42. Acercamiento de los Voladores. Cuetzalan, Puebla.
43. Danzante de los «Quetzales» de Cuetzalan, Puebla.
44. Capitán de la Danza de los Voladores de Cuetzalan, Puebla, examinando su chirimía antes de subir al palo.
45. Músico en una danza seri de Punta Chueca, Sonora.
46 y 47. Danzantes «Uinaroris». Huicholes. Sierra Madre Occidental. San Andrés Coamiata, Jalisco.
48. Danzante seri. Punta Chueca, Sonora.
49. Danzantes huicholes. Santa Catarina, Jalisco.
50. Artesano huichol mostrando su decoración facial tradicional de «peyotero» y sus collares de peyote, en la fiesta de Semana Santa.
51. Huichol participante en las celebraciones de la Semana Santa con el rostro pintado de rojo y un roedor amuleto.
52 y 53. Danzantes huicholes. Santa Catarina, Jalisco.
54. Danzantes en la Semana Santa. Sierra Tarahumara.
55. Tarahumara observando la fiesta tradicional de Semana Santa en Samachique. Sierra de Chihuahua.
56. «Carnavalero» de San Pablito Pahuatlán, Sierra de Puebla.
57. Danzante tarahumara de Guachochi en su danza tradicional de «Matlachines». Sierra de Chihuahua.
58. Danzante tarahumara. Chihuahua.
59. Grupo de mujeres tarahumaras danzando en el atrio de la iglesia de Samachique. Semana Santa. Chihuahua.
60. Celebración de la Semana Santa en Guachochi, por danzantes matlachines. Sierra Tarahumara. Chihuahua.
61. Momento culminante en el que el gobernador le da posesión de sus cargos a las autoridades tarahumaras. Samachique, Chihuahua.
62. Tradicionales tambores tarahumaras, con extraordinario decorado a base de soles. Músicos en las festividades de Semana Santa. Sierra Tarahumara, Chihuahua.
63. Danzante tarahumara reposando. Celebración de Semana Santa. Samachique, Chihuahua.
64. Figuras de paja que representan a Judas en la celebración de la Semana Santa, Sierra Tarahumara, Chihuahua.
65 y 66. Saludo e invitación a luchar entre los dos bandos. Sierra Tarahumara.
67. Los dos grupos de danzantes se enfrentan con sus figuras de paja para ser desbaratadas. Semana Santa en la Sierra Tarahumara. Chihuahua.
68. Momento culminante en el que dos luchadores se enfrentan. Sierra Tarahumara. Chihuahua.
69. La lucha entre ellos es hasta que alguno cae al suelo. Tarahumaras, Sierra de Chihuahua.
70. Entrada de las banderas. Celebración de Semana Santa. Tenejapa, Chiapas.
71. La cruz en andas en la Semana Santa de Tenejapa, Chiapas.
72. Los abanderados y todo el grupo de participantes corren antes de la ceremonia del fuego en el Carnaval de San Juan Chamula, Chiapas.
73. Autoridades de San Andrés Larrainzar, Chiapas.
74. Abanderados de la ceremonia del fuego en el Carnaval de San Juan Chamula, Chiapas.
75. Grupo de músicos de Tenejapa, Chiapas.
76. Una autoridad sahúma las astas de las banderas dentro del atrio de la iglesia de San Juan Chamula, Chiapas. Carnaval.
77. Preparativos para el camino de fuego frente al atrio de la iglesia de San Juan Chamula, Chiapas. Carnaval.

78. Final del Carnaval con la participación de los toros. San Juan Chamula.
79. Preparativos para el camino de fuego. Carnaval de San Juan Chamula, Chiapas.
80. Dentro de sus iglesias los chamulas visten a los santos a su semejanza.
81. Momento culminante en el que con las banderas los participantes corren sobre el fuego. Carnaval de San Juan Chamula, Chiapas.
82. Mujeres tzotziles orando dentro de su iglesia en San Juan Chamula.
83. Los toros en el final del Carnaval. San Juan Chamula.
84 y 85. Desfile de banderas por las autoridades de Tenejapa, Chiapas.
86. Festividad de Carnaval en Mitontic, Alto Chiapas.
87. Arpista tocando su música tradicional. San Pedro Chenalhó, Chiapas. Semana Santa.
88 y 89. A caballo, y simulando ir a caballo, participan del Carnaval en Tenejapa, Chiapas.
90, 91 y 92. Diversos tipos de músicos, arperos, guitarrones, tambores, violines, etc., participan en las celebraciones tradicionales del Alto Chiapas.
93, 94 y 95. Las figuras de los santos juegan un papel importante en las fiestas religiosas en el Alto Chiapas. Con gran respeto y reverencia las llevan por los alrededores de las poblaciones principales.
96. Los hombres («Maringuillas») se visten con los huipiles de sus mujeres en el Carnaval de San Pedro Chenalhó. Alto Chiapas.
97. La esposa del «Mayordomo» recibe reverentemente el «bastón de mando». San Pedro Chenalhó. Alto Chiapas.
98. Participantes en la fiesta de Carnaval de Mitontic, Alto Chiapas.
99. El santo patrón en andas por las calles de San Pedro Chenalhó, Alto Chiapas.
100. Fiesta de Carnaval en Mitontic, Alto Chiapas.
101 y 102. La Semana Santa y la Cuaresma se desarrollan con diferentes aspectos tradicionalmente religiosos en todos los pueblos indígenas del país.
103. La carrera del pavo, remate de la fiesta de Carnaval en Mitontic, Chiapas.
104. Grupo de músicos: chirimía y tambor acompañan la celebración del Carnaval en el Alto Chiapas.
105. Grupo de danzantes del Carnaval en Huistán, Alto Chiapas.
106. La esposa del Mayordomo del Carnaval de Amatenango, Chiapas.
107. Pareja de danzantes ataviados con su indumentaria tradicional para el Carnaval de Huistán, Alto Chiapas.
108. Alférez en el Carnaval de Huistán, Chiapas.
109. Danzante con su tradicional máscara de cuero. Huistán, Chiapas.
110. A caballo y alrededor de su plaza principal, corren incansables los alféreces en el Carnaval de Huistán, Chiapas.
111 y 112. Detalle de tocados y máscaras en la danza de Los Chinelos, Estado de México.
113. Músicos que en la puerta de la iglesia en Huistán, Chiapas, acompañan con sus ritmos la celebración del Carnaval.
114 y 115. La danza tradicional tarasca de Los Viejitos. Zona lacustre de Michoacán.
116. Grupo de danzantes Chinelos del Estado de México, muy similares a los del Estado de Morelos.
117. Vigoroso campesino michoacano representando a un «Viejito». Cherapan.
118. Danza de Los Tecuanes. Acatlán, Puebla.
119 y 120. La danza de los «Viejitos» en la Sierra de Jarácuaro, Michoacán, es esencia misma de las festividades tradicionales de la zona lacustre de Pátzcuaro.
121. El tigre. Papel principal de la danza del Tecuani. Acatlán, Puebla.
122. Tecuanes o «tigres» en Olianá, Guerrero.
123. Participantes de la danza de Moros, Olinalá, Guerrero, el día de San Francisco.
124. Tecuanes. Olinalá, Guerrero.
125. Danzante de Moros, Olinalá, Guerrero.
126. Encuentro entre Moros y Cristianos en Olinalá, Guerrero. Día de San Francisco.
127. Máscara de tigre ejecutada en laca policromada, con cerdas y colmillos de jabalí en Olinalá, Guerrero.
128, 129, 130 y 131. Participantes de la danza de La Pescada, en Chilapa, Guerrero.
132, 133 y 134. Grupo de mujeres y hombres danzantes en San Miguel Totolapan, Guerrero.
135, 136 y 137. Participación de los indígenas de la Sierra Norte de Puebla en la danza de Xochicozcatl. Cuetzalan, Puebla.
138. Grupo de baile de «Cuadrilla Tarasgota» de San Juan Tianguismanalco, Puebla.

139. Grupo de la región de los volcanes de San Juan Tianguismanalco con su baile de «Cuadrilla Tarasgota».
140. Los niños desde pequeños participan en las fiestas. Ésta es la representación de la «Danza del Pescado», de Ziraguen, Michoacán.
141. Baile de «Los Panaderos». Santa Clara del Cobre, Michoacán.
142. Baile de «Las Calabazas», Santa Clara del Cobre, Michoacán.
143. Participante de la «Contra-danza del Arco y los Listones» en Opopeo, Michoacán.
144, 145 y 146. Diferentes aspectos de la «Contra-danza del Arco y los Listones» de Opopeo, Michoacán.
147 y 148. Danza del Torito. Costa de la Mixteca Baja oaxaqueña y guerrerense.
149. Danza de «Matlachines». Zacatecas.
150. El «campo» de la «Danza del Torito». Mixteca Baja oaxaqueña y guerrerense.
151. Danzantes de «Matlachines». Zacatecas.
152. El capitán de la danza de los «Matlachines» con su atuendo multicolor de plumas. Zacatecas.
153. Niño danzante de «Moros». Papantla, Veracruz.
154 y 155. Ejecuciones de la danza de los «Matlachines». Zacatecas.
156. Danza de «Santiago-Moros» en San Martín Tlapala y San Antonio Tlatenco, Puebla.
157. La danza de las «Mediaslunas» de Zacoalpan, Estado de México.
158. Cuadrilla de danzantes de «Negritos». Puebla y Veracruz.
159. Danzante de «Moros» de la zona Tarasca. San Jerónimo. Michoacán.
160. Danzante de «Negritos». Puebla y Veracruz.
161. Danzante de «El Señor de los Naranjos». Michoacán.
162. «Santiaguero». Zacapoaxtla, Sierra Norte del Estado de Puebla.
163. Cuadrilla de danzantes de «Moros» en San Jerónimo, Michoacán.
164. Detalle de la máscara de la danza de los «Moros», Michoacán.
165. Máscara tradicional de la danza de «Los Negritos». Zona tarasca michoacana.
166. Danza de los «Moros», Michoacán.
167. Cuadrilla de la danza de «Los Negritos». Zona tarasca. Michoacán.
168. Grupo de danzantes de Angaguan, Michoacán. Una modalidad de la danza de «Los Cúrpites».
169 y 170. Danzantes de Angaguan, Michoacán.
171. Danzante de «Los Negritos». Michoacán.
172. Danzante de Angaguan. Michoacán.
173. Danzantes de «Los Negritos». Michoacán.
174 y 175. Cuadrillas de «Malinches». Oaxaca. Tierra Caliente.
176. Niños danzantes «Moros». Sierra de Juárez, Oaxaca.
177. Danzantes de «Negritos» de Papantla, Veracruz.
178 y 179. Niños danzantes. «Cuadrillas de Moros». Sierra de Juárez, Oaxaca.
180. Capitán de la danza de «Los Malinches». San Mateo del Mar, Oaxaca
181 y 182. «Jardineros» danzantes de San Bartolo Coyotepec, Valle de Oaxaca.
183. Cuadrillas en el «Paloteo». Danza de «Jardineros». Artesanos de San Bartolo Coyotepec, Oaxaca.
184. Danza de los Zancudos de Zaachila, Oaxaca.
185. Danza de los «Jardineros». San Bartolo Coyotepec, Oaxaca.
186. Danzantes de «Jardineros» en la mazurca. San Bartolo Coyotepec, Oaxaca.
187. Danza de la Conquista o de la Pluma. San Martín Tilcajete. Valle de Oaxaca. El Capitán Moctezuma lo interpreta Laurentino Ojeda Antonio.
188. Cortés y los españoles representados por adultos y niños. La Danza de la Pluma de San Martín Tilcajete, Oaxaca.
189. La «Cuadrilla» de la Danza de la Pluma se dirige al atrio de su iglesia para bailar. San Martín Tilcajete, Oaxaca.
190. Los niños «soldados españoles», esperan su turno. Danza de la Pluma. Valle de Oaxaca.
191 y 192. Danza de «Sonajeros». Tuxpan, Jalisco.
193. Cuadrilla de «Sonajeros» de Tuxpan, Jalisco.
194. Jóvenes y adultos con su tradicional indumentaria en la danza de los «Parachicos». Chiapa de Corzo, Chiapas.
195. Las máscaras de «Parachicos» junto al Santo Patrón. San Sebastián, Chiapas.
196 y 197. Grupo de danzantes de los «Parachicos» con su atuendo de ixtle sobre la cabeza y la máscara.

198. La máscara de la danza de «Parachicos» es una de las más bellamente ejecutadas. Chiapa de Corzo, Chiapas.

199. Sonaja, cobijilla multicolor de Saltillo y tocado en ixtle es lo tradicional en la indumentaria de «Parachicos» de Chiapa de Corzo, Chiapas.

200. San José en la Danza de «Los Cúrpites» de San Juan Nuevo, Michoacán.

201. Danzante de «Los Cúrpites». San Juan Nuevo, Michoacán.

202. Danza de «Los Cúrpites». Michoacán.

203. Danza de «Los Cúrpites». Michoacán.

204. Baile de «Los Pastores». San José de Gracia, Michoacán.

205. Grupo de «Los Cúrpites». Michoacán.

206. Danzante de «Pastores». Michoacán.

207. «Pastorcitas». San José de Gracia, Michoacán.

208. Festividad tradicional del día de Reyes con la danza de «Los Diablos y Ermitaños». Ocumicho, Michoacán.

209 y 210. Los ermitaños en acciones de juego. San José de Gracia y Ocumicho, Michoacán.

211. Cuadrilla de ermitaños y diablos. Ocumicho, Michoacán.

212. Danza de «Los Pastores». Sierra de Michoacán.

213. Personajes principales de la Danza de los Diablos en la Pastorela. Ocumicho, Michoacán.

214. «Los Pastores», San Miguel Arcángel, San José y la Virgen en la Pastorela de San José de Gracia, Michoacán.

215. Ermitaño en la Pastorela de San José de Gracia, Michoacán.

216. Cuadrilla de «Los Pastores». Pastorela de San José de Gracia, Michoacán.

217. Lucifer o Luz Bel en la Danza de Los Diablos de la Pastorela de Ocumicho, Michoacán.

218 y 219. Danza de «Los Migueles». Zacapoaxtla, Sierra Norte de Puebla.

220. Jóvenes campesinos participantes en la Pastorela, con su atuendo de ermitaños. Ocumicho, Michoacán.

221. Adornos tradicionales con semillas para los santos, en Metepec, Estado de México.

222. Danza de Las Pastorcitas. Barrio de San Agustín. Santa Clara del Cobre, Michoacán.

223. San José con su arco de cera, llevado en hombros en el atrio de la iglesia de Ocumicho, Michoacán.

224. Máscara para la Danza de Las Pastorcitas. Santa Clara del Cobre, Michoacán.

225. Ma. de Jesús Nolasco, artesana de cerámica policromada, con los panes usados en la danza de las fiestas de Ocumicho, Michoacán.

226, 227 y 228. Ofrenda de Panes y danza de «Moros» en Ocumicho, Michoacán.

229. La ofrenda de panes y frutas al santo patrono en Ocumicho, Michoacán.

230. Músicos huaves en El Campanario. San Mateo del Mar, Oaxaca.

231. Convite de flores. Tehuanas en Tehuantepec, Oaxaca.

232. Mujeres bailando en la fiesta tradicional de San José de Gracia, Michoacán.

233. Tehuanas en el baile popular de «La Ramada».

234. Por las calles de Tehuantepec las tehuanas vestidas de gala se dirigen al convite de flores.

235, 236 y 237. Tehuanas en el baile popular en «La Ramada», fiesta de cuatro días. Tehuantepec, Oaxaca.

238. Mujeres artesanas de Aguacatenango, en su danza tradicional. Alto Chiapas.

239. Campos o guía de danzas. Sierra de Oaxaca.

240. Pareja de mazatecos. Huautla de Jiménez, Oaxaca.

241. Baile del «Rendido» presentado en la Guelaguetza por una pareja de Juchitán, Oaxaca.

242. Mujeres mixes bailando en día de fiesta en Tlahuilotepec, Oaxaca.

243. Matrimonio de Yalalag, Oaxaca, bailando en su fiesta tradicional.

244. Muchachas de la Sierra de Juárez, de Teococuilco, Oaxaca, en la Guelaguetza. Ciudad de Oaxaca.

245. Danza de Los Caballitos. Campesinos danzantes del Estado de Zacatecas.

246. Pareja de mixes de la Sierra de Juárez, Oaxaca.

247. Danza de Los Arrieros, Sierra Norte del Estado de Puebla.

248. Los Caballitos. Zacatecas.

249. Aspecto de una vaquería yucateca.

250. Danza de Las Cuadrillas. Los Reyes, Estado de México.

251 y 252. Diferentes aspectos de una vaquería yucateca.

253. Oaxaqueña de la costa bailando una chilena.

EN COLOR

ILUSTRACIONES DIBUJOS PLUMA